JAY ASHER

NOCHE DE LUZ

‣ **Título original:** *What Light*
‣ **Dirección editorial:** Marcela Luza
‣ **Edición:** Leonel Teti con Nancy Boufflet
‣ **Coordinación de diseño:** Marianela Acuña
‣ **Armado de interior:** Tomás Caramella

un sello de
V&R Editoras

ARGENTINA:
San Martín 969 piso 10 (C1004AAS)
Buenos Aires
Tel./Fax: (54-11) 5352-9444
y rotativas
e-mail: editorial@vreditoras.com

MÉXICO:
Dakota 274, Colonia Nápoles CP 03810,
Del. Benito Juárez, Ciudad de México
Tel./Fax: (5255) 5220–6620/6621
01800-543-4995
e-mail: editoras@vergarariba.com.mx

ISBN: 978-987-747-211-0

Impreso en México, diciembre de 2016
Grupo Gama Impresores

Asher, Jay
Noche de luz / Jay Asher. - 1a ed . - Ciudad Autónoma de Buenos
Aires : V&R, 2016.
352 p. ; 20 x 13 cm.
Traducción de: Julián Alejo Sosa.
ISBN 978-987-747-211-0
1. Literatura Juvenil. 2. Novelas Realistas. 3. Novelas Románticas. I.
Sosa, Julián Alejo, trad. II. Título.
CDD 813

JAY ASHER

NOCHE DE LUZ

Traducción: Julián Alejo Sosa

CAPÍTULO 1

—O dio esta época del año –dice Rachel–. Lo siento, Sierra. Seguramente repito esto todo el tiempo, pero es la verdad.

La niebla de la mañana hace apenas visible la entrada de la escuela en el fondo del patio. Decidimos mantenernos por el pavimento para evitar el césped húmedo, pero Rachel no se está quejando del clima.

–Por favor, no hagas esto –le suplico–. Vas a hacerme llorar de nuevo. Solo quiero pasar esta semana sin...

–¡Pero ni siquiera es una semana! –me interrumpe–. Son dos días. Solo faltan dos días para el receso del Día de Acción de Gracias, y luego te marchas por un mes entero de nuevo. ¡Más de un mes!

Tomo a Rachel por el brazo mientras caminamos. A pesar de ser yo la que se va lejos de nuevo durante las vacaciones, Rachel cada año siente que es *su* mundo el que se da vuelta. La expresión de tristeza en su rostro y sus hombros caídos juegan completamente a mi favor, ya que sé que al menos alguien me va a extrañar, y siempre estoy agradecida por su melodrama. Si bien me encanta el lugar adonde voy, sigue siendo difícil decir adiós. Pero saber que mis mejores amigas están contando los días para que regrese lo hace mucho más fácil.

–¿Ves lo que logras? Ya están empezando –le digo al señalarle la lágrima que comienza a caer de mi ojo.

Esta mañana, cuando volvíamos con mi mamá de nuestra plantación de árboles de Navidad, el cielo estaba prácticamente despejado. Los trabajadores en el campo cortaban la producción de árboles de este año y, a lo lejos, se podía oír el zumbido de sus motosierras como si fueran mosquitos.

La niebla se tornó más densa y tuvimos que aminorar la marcha. Se podía ver cómo cubría las pequeñas granjas, la carretera y la ciudad, mientras esparcía la esencia típica de la temporada. Durante esta época del año, en nuestra pequeña ciudad en el estado de Oregon se puede sentir el aroma de los árboles de Navidad recién cortados. En otras ocasiones, el ambiente se cubre con los olores de la producción de maíz dulce y remolacha azucarera.

Rachel mantiene abierta para mí una de las puertas de vidrio y me sigue hacia mi casillero. Una vez allí, sacude su brillante reloj rojo delante de mí.

–Aún nos quedan quince minutos –señala–. Estoy de

mal humor y tengo frío. Vamos a buscar una taza de café antes de que suene la primera campana.

La directora del teatro escolar, la señorita Livingston, de una manera no muy amigable, incita a sus estudiantes a ingerir tanta cafeína como sea necesaria para poder presentar las obras a tiempo. Entre bastidores, la cafetera siempre está llena. Y Rachel, al ser la encargada principal del diseño de escenografía, tiene acceso libre al auditorio.

El fin de semana pasado, presentaron la última función de *La tiendita del horror*. No desarmarán la escenografía hasta pasado el Día de Acción de Gracias, por lo que todavía se encuentra en pie al encender las luces desde el fondo del auditorio. Sentada en el escenario, entre el mostrador de la florería y la gran planta verde come hombres, se encuentra Elizabeth, quien se incorpora al vernos y nos saluda desde lejos.

—Este año quisimos entregarte algo para que lleves contigo a California —comenta Rachel mientras camina delante de mí por el pasillo.

La sigo a través de una hilera vacía de cómodos asientos rojos. Claramente, no les preocupa si estos últimos días en la escuela me los paso llorando. Subo al escenario por la escalera y Elizabeth se levanta, corre hacia mí y me abraza.

—Tenía razón —le comenta a Rachel mientras me sujeta—. Te dije que ella iba a llorar.

—Las odio —les digo cariñosamente.

Elizabeth me entrega dos paquetes envueltos en un papel de Navidad plateado y brillante, aunque ya creo saber qué es lo que me están regalando. La semana pasada visitamos una tienda de regalos en el centro y las vi curiosear sobre unos portarretratos del mismo tamaño que estos paquetes. Tomo asiento para abrirlos y me apoyo contra el mostrador justo por debajo de la antigua caja registradora.

Rachel se sienta con las piernas cruzadas frente a mí, nuestras rodillas se rozan.

—Están rompiendo las reglas —les reclamo. Logro pasar un dedo por debajo de un pliegue del envoltorio del primer regalo—. Se suponía que no haríamos esto hasta que regresara.

—Queríamos que tuvieras algo que te recuerde a nosotras todos los días —comenta Elizabeth.

—Nos da un poco de vergüenza saber que no hicimos esto desde la primera vez que te marchaste —agrega Rachel.

—¿Qué? ¿Te refieres a cuando éramos bebés?

Durante mi primera Navidad, mamá se quedó conmigo aquí, en la granja, mientras papá administraba el lote de árboles en California. Al año siguiente, mamá pensó que debíamos quedarnos en nuestro hogar por una temporada más, pero papá no quería estar lejos de nosotras otra vez. Había dicho que prefería estar lejos del lote por un año y centrar el negocio en enviar los árboles a diferentes vendedores alrededor del país. Pero mamá sintió lástima por las familias que tienen como una tradición visitarnos para comprar sus árboles. Para ellos también es una tradición muy valiosa, ya que papá heredó el negocio de su padre. De hecho, ellos se conocieron porque mamá y sus padres eran clientes habituales. Por eso, cada año paso allí los días desde el Día de Acción de Gracias hasta Navidad.

Rachel se reclina en el escenario, apoyándose en sus manos.

—¿Tus padres ya decidieron si esta será la última Navidad que pasarán en California?

Logro rasgar una parte de la cinta adhesiva que une los pliegues del paquete.

—¿Los de la tienda envolvieron esto?

Rachel le susurra a Elizabeth lo suficientemente fuerte como para que yo la pueda oír.

—Cambia de tema.

—Perdón —contesto—. Es que odio pensar que este puede ser nuestro último año allí. Saben que las quiero mucho, pero de verdad voy a extrañar visitar ese lugar. Lo único que sé es lo que pude escuchar por casualidad, todavía no me lo han confirmado, pero parecen estar muy preocupados por las finanzas. Hasta que no se hayan decidido, no quiero ponerme de ningún lado.

Si manejamos el lote por tres temporadas más, se habrán cumplido treinta años desde su apertura. En aquel entonces, nuestra pequeña ciudad se encontraba en un momento de rápido crecimiento. En las grandes ciudades aledañas a nuestra granja en Oregon, se habían establecido algunos de estos lotes, por no decir centenares de ellos. En la actualidad, uno puede comprar su árbol en un supermercado o en una ferretería, o incluso a personas que los venden para recaudar fondos. Sin embargo, los lotes de árboles como el nuestro no son muy comunes en estos días. Si lo abandonamos, nos tendremos que encargar solamente de suministrar a los supermercados y recaudadores de fondos o proveer a otros lotes con nuestros árboles.

Elizabeth apoya su mano en mi rodilla.

—Una parte de mí quiere que vuelvas allí el próximo año porque sé lo mucho que lo disfrutas, pero, si decides quedarte, podremos pasar Navidad juntas por primera vez.

No puedo evitar sonreír al pensar eso. Amo a estas chicas, pero Heather también es una de mis mejores amigas y solo la veo una vez al año cuando visito California.

—Es que toda mi vida pasé allí estos días —les digo—. No puedo siquiera pensar cómo sería si de pronto dejara de… ir.

—Yo te puedo decir cómo sería —intervino Rachel—. Último año de estudios. Esquí. Baños de agua caliente. ¡Nieve!

Pero yo amo estar en California lejos de la nieve, en la costa, a solo tres horas de San Francisco. También amo vender árboles; ver a las mismas familias que nos eligen año tras año. No sería tan gratificante invertir tanto tiempo plantando y cuidando los árboles solo para entregárselos a otra persona para que los vendan.

–Suena divertido, ¿no? –agrega Rachel. Se me acerca y mueve las cejas–. Ahora, imagina todo eso, pero con chicos.

Me río como un cerdito y me tapo la boca.

–O no –dice Elizabeth tomando a Rachel por el hombro–. Sería agradable pasar tiempo nosotras solas; nada de chicos.

–Esa básicamente soy yo todas las Navidades –resalto–. Recuerden que el año pasado me dejaron plantada la noche anterior a mi partida hacia California.

–Eso sí fue horrible –dice Elizabeth, aunque se podía notar que le causaba algo de gracia–. Para peor, luego apareció con esa chica rara de pechos grandes en el baile de invierno y…

Rachel le tapa la boca a Elizabeth con un dedo.

–Creo que lo recuerda bien.

Me quedo mirando el primer regalo, todavía sin abrir.

–No lo culpo. ¿Quién querría estar en una relación a larga distancia durante las vacaciones de invierno? Yo no.

–Sin embargo –agrega Rachel–, mencionaste que hay algunos chicos lindos que trabajan en el lote.

–Claro –niego con la cabeza–. Como si papá fuera a dejar que eso ocurriera.

–Está bien, no hablemos más de esto –ordena decidida Elizabeth–. Abre tus regalos.

Logro sacar una parte de la cinta adhesiva, pero ahora mi mente está en California. Con Heather hemos sido amigas prácticamente desde que tengo memoria. Mis abuelos maternos eran vecinos de su familia. Cuando mis abuelos murieron, su familia solía invitarme unas horas a su casa todos los días para darles un descanso a mis padres. A cambio, papá y mamá les regalaban un bello árbol de Navidad, algunas coronas navideñas y les pedían a dos o tres empleados que les cuelguen algunas luces sobre el tejado.

Elizabeth suspira.

–Los regalos, por favor.

Logro romper una parte del envoltorio.

Por supuesto que ellas tienen razón. Me encantaría poder pasar al menos un invierno aquí antes de que nos graduemos y nos vayamos cada una por su lado. Muchas veces soñé que estaba con ellas para la Caminata de Navidad y todas esas cosas que me cuentan que ocurren aquí.

Pero las vacaciones en California son el único momento en el que puedo ver a mi *otra* mejor amiga. Ya hace algunos años que dejé de referirme a Heather simplemente como mi amiga del invierno. Ella es una de mis mejores amigas, y punto. También solía verla durante el verano por unas semanas cuando visitaba a mis abuelos, pero esas visitas terminaron cuando ellos murieron. Me preocupa pensar que, quizás, no pueda disfrutar por completo estas vacaciones con ella, ya que podrían ser las últimas.

Rachel se levanta y camina a través del escenario.

–Necesito tomar algo de café.

–¡Está abriendo nuestros regalos! –grita Elizabeth.

–Está abriendo *tu* regalo –responde Rachel–. El mío es el que tiene el listón rojo.

El primer portarretrato que abro, el del listón verde, muestra una selfie de Elizabeth. Su lengua se asoma por un lado mientras que sus ojos miran en la dirección opuesta. Es como cualquier otra foto que se saca a sí misma, por eso me encanta.

Aprieto el retrato contra mi pecho.

–Gracias.

Elizabeth se sonroja.

–De nada.

–Estoy abriendo el tuyo ahora –grito desde el escenario.

Rachel se acerca lentamente hacia nosotras con tres vasos descartables con café caliente. Cada una toma el suyo. Apoyo el mío a un lado mientras Rachel se sienta frente a mí y comienzo a abrir su regalo. Si bien solo es un mes, la voy a extrañar mucho.

Es otro portarretrato, con una foto de Rachel: su bello rostro se encuentra de perfil y parcialmente bloqueado por una de sus manos, como si no hubiera querido que le tomaran la foto.

–Se supone que tiene que parecer que me persiguen los paparazzi –explica–. Como si yo fuera la actriz del momento que sale de un restaurante *chic*. Aunque, si fuera real, seguramente tendría un guardaespaldas gigante detrás de mí, pero…

–Pero no eres actriz –la interrumpe Elizabeth–. A ti te interesa el diseño de escenografía.

–Eso es parte del plan –agrega Rachel–. ¿Saben cuántas actrices hay en el mundo? Millones. Y todas ellas están haciendo un gran esfuerzo para que las conozcan, lo que termina siendo un fracaso total. Algún día, mientras me encuentre trabajando como diseñadora de escenografía para algún productor famoso, él notará con solo una mirada que sería una lástima mantenerme detrás de escena, y que debería estar frente a las cámaras. Entonces, él recibirá todo el crédito por haberme descubierto, pero en realidad habré sido yo la que hizo que él me descubriera.

–Lo que me preocupa –le señalo– es que de verdad crees que ocurrirá todo tal como lo dices.

Rachel toma un sorbo de su café.

–Es que será así.

Suena la primera campana. Recojo los envoltorios plateados y los hago un bollo. Rachel lo toma junto con los vasos descartables y los arroja en el bote de basura que se encuentra detrás del escenario. Elizabeth guarda mis portarretratos en una bolsa de papel y le hace un doblez en la parte superior antes de entregármela.

–Asumo que no nos podremos ver antes de que te marches, ¿no? –pregunta Elizabeth.

—Probablemente, no —le respondo. Las sigo mientras bajamos del escenario y nos tomamos nuestro tiempo para caminar por el pasillo hacia el fondo del teatro—. Esta noche me voy a acostar temprano, así puedo trabajar un par de horas mañana antes de la escuela. Y luego partimos a primera hora el miércoles por la mañana.

—¿A qué hora exactamente? —me pregunta Rachel—. Quizás podríamos…

—Tres de la mañana —le respondo, riendo. Desde nuestra granja en Oregon hasta el lote en California son alrededor de diecisiete horas de viaje, dependiendo de las veces que nos detengamos para ir al baño y del tráfico—. Claro que si quieren levantarse temprano…

—No, está bien —me interrumpe Elizabeth—. Te vamos a desear buen viaje desde nuestros sueños.

—¿Ya te asignaron tus tareas? —me pregunta Rachel.

—Eso creo —hace dos inviernos, en la escuela éramos casi una docena de estudiantes los que viajábamos por los lotes de árboles. Este año, solo somos tres. Por suerte, al haber tantas granjas en la zona, los profesores tienden a ser compasivos debido a los diferentes tiempos de cosecha—. *Monsieur* Cappeau está preocupado porque *pratique mon Français* mientras esté de viaje, por lo que me sugirió que lo llame una vez por semana para practicar.

Rachel me guiña el ojo.

—¿Esa es la única razón por la que quiere que lo llames?

—No seas asquerosa —respondo.

–Recuerda –interviene Elizabeth–. A Sierra no le gustan los hombres mayores.

Me empiezo a reír.

–Están hablando de Paul, ¿no? Solo salimos una vez, pero luego lo encontraron con una lata de cerveza abierta en el auto de un amigo.

–En su defensa, él no se encontraba conduciendo –resalta Rachel. Antes de que yo pueda responder, ella levanta su mano–. Pero te entiendo. Tomaste eso como una señal de que podía convertirse en un alcohólico, o en esos que toman malas decisiones, o… lo que sea.

Elizabeth mueve la cabeza.

–Eres demasiado exigente, Sierra.

Rachel y Elizabeth siempre se burlan cuando hablan de mi estándar de chico ideal. Veo a muchas compañeras que salen con muchachos que las terminan decepcionando. Quizás no al principio, pero en algún momento de la relación. ¿Por qué desperdiciar años o meses, o incluso días, en alguien así?

Antes de llegar a la puerta doble que nos lleva de vuelta al pasillo, Elizabeth se adelanta y gira hacia nosotras.

–Voy a llegar tarde a mi clase de Inglés, pero veámonos para el almuerzo, ¿les parece bien?

Esbozo una sonrisa porque siempre nos vemos para el almuerzo.

Una vez en el pasillo, Elizabeth desaparece entre los demás estudiantes.

–Dos almuerzos más –dice Rachel al caminar mientras simula secarse una lágrima–. Es lo único que nos queda. Pensar en eso me hace dar ganas de…

–¡No! –la interrumpo–. No lo digas.

–No es nada, no te preocupes –mueve su mano con desdén–. Tengo muchas cosas que me mantendrán ocupada mientras tú estés disfrutando de California. Veamos, el próximo lunes comenzaremos a desarmar la escenografía. Eso tomará aproximadamente una semana. Luego, me encargaré de ayudar al Comité de Baile a que terminen de organizar el evento de invierno. No está relacionado con el teatro, pero me gusta usar mis habilidades siempre que sea necesario.

–¿Ya decidieron el tema de este año? –le pregunto.

–El Cristal del Amor –contesta–. Sé que suena algo cursi, pero ya tengo algunas ideas muy interesantes. Me gustaría decorar todo el gimnasio de manera tal que parezca que estamos bailando dentro de una bola de cristal con nieve. Seguramente esté bastante ocupada para cuando regreses.

–¿Ves? Apenas tendrás tiempo para extrañarme –le digo.

–Tienes razón –contesta Rachel. Me da un pequeño empujón mientras caminamos–. Pero más te vale pensar en mí.

Y seguro que lo haré. A lo largo de mi vida, extrañar a mis amigas se ha vuelto una tradición navideña.

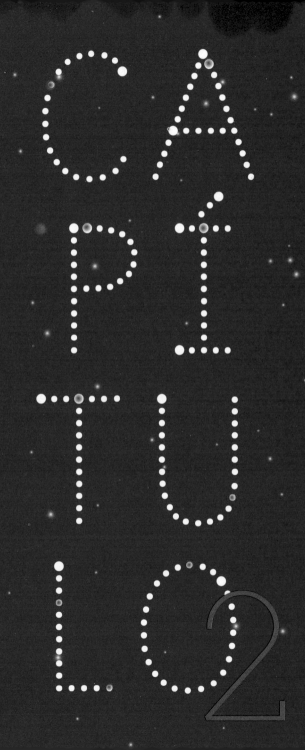

CAPÍTULO 2

El sol comienza a asomarse por detrás de las colinas cuando llego a la granja y estaciono la camioneta de papá a un lado de la entrada cubierta de lodo. Acciono el freno de mano y me quedo observando una de mis vistas favoritas: la plantación de árboles de Navidad comienza a pocos metros de la ventanilla del conductor y se extiende por cientos de metros sobre las colinas. Del otro lado de la camioneta, nuestro campo cubre aproximadamente la misma distancia. A los lados del terreno, se pueden ver otras plantaciones de árboles.

Cuando apago la calefacción y salgo del vehículo, siento que el frío me cala hasta los huesos. Me recojo el cabello y me hago una coleta bien apretada, la escondo en la parte trasera de mi inmenso abrigo invernal, me pongo la capucha y la ajusto bien fuerte.

La resina de los árboles expulsa un aroma fuerte en el ambiente húmedo, y siento cómo el lodo se pega en mis botas pesadas y las ramas se me enganchan en las mangas cuando intento alcanzar el teléfono que guardo en mi bolsillo. Marco el número de mi tío Bruce y, con el hombro, presiono el móvil contra mi oreja, mientras me coloco los guantes para trabajar.

Cuando me atiende escucho su risa.

—¡Seguramente no te tomó mucho tiempo llegar hasta allí, Sierra!

—No estaba manejando tan rápido —le respondo. A decir verdad, tomar esas curvas y deslizarse sobre el lodo a gran velocidad es algo muy tentador como para resistirse.

—No te preocupes, cariño. Yo he hecho eso muchas veces.

—Te vi hacerlo, por eso supuse que sería divertido —le contesto—. En fin, ya estoy cerca del primer grupo.

—En un minuto estaré allí —me asegura y, antes de colgar, escucho que enciende el helicóptero.

Del bolsillo de mi abrigo, tomo un chaleco reflectante naranja y me lo coloco encima. La cinta de velcro en la parte frontal lo mantiene fijo en su lugar, de este modo, mi tío podrá verme desde el aire.

Cerca de doscientos metros delante de mí, puedo escuchar el zumbido de las motosierras mientras los trabajadores remueven del suelo los troncos restantes de la producción de este año. Hace dos meses, comenzamos a marcar los árboles que queríamos cortar. Los señalamos atando, en una rama cerca de la copa, un listón de plástico, que puede ser de color rojo, amarillo o azul, dependiendo de la altura del árbol. De esta manera, podemos diferenciarlos a la hora de cargarlos en las camionetas. Aquellos que no están marcados los dejamos en su lugar para que continúen creciendo.

A lo lejos puedo ver el helicóptero rojo que se acerca a mí. Mamá y papá ayudaron a mi tío Bruce a comprarlo a cambio de que les facilitara la tarea de mover los árboles recién cortados. De este modo, no se arruina el terreno por los nuevos caminos de acceso, y nos aseguramos de entregar el árbol aún más fresco. El resto del año, lo utiliza para realizar vuelos turísticos por los acantilados de la costa. Incluso, algunas veces lo llaman para hacer de héroe y encontrar a algún excursionista perdido.

Luego de talar cuatro o cinco árboles delante de mí, los trabajadores se encargan de recostarlos uno al lado del otro sobre dos largos cables, como si los pusieran sobre las vías del ferrocarril. Luego, continúan apilando más árboles encima de los primeros hasta juntar una docena. Por último, sujetan la pila con los cables y la aseguran con un tensor antes de moverla.

Ahí es cuando aparezco yo.

El año pasado fue la primera vez que papá me dejó hacer esto. Yo sabía que él sentía que era un trabajo muy peligroso para una chica de quince años, pero no se animaba a decirlo en voz alta. Sin embargo, algunos de los chicos que se encargan de cortar los árboles son mis compañeros de la escuela, y a ellos los deja usar motosierras.

Se oye el sonido cortante de las hélices del helicóptero cada vez más cerca. *Tzutzu-tzutzu-tzutzu-tzutzu.* Mi corazón comienza a latir a la misma velocidad que las hélices a medida que se acerca el momento de enganchar mi primer lote de la temporada.

Me paro a un lado de la primera pila y comienzo a mover los dedos dentro del guante. Puedo ver cómo los primeros rayos de luz se reflejan en la ventanilla del helicóptero, que arrastra por el aire un pesado gancho rojo sostenido por un largo cable.

Mi tío aminora la marcha a medida que se acerca y presiono mis pies contra la tierra con fuerza. Por encima de mí, se puede sentir el estruendo de las hélices. *Tzutzu-tzutzu-tzutzu-tzutzu.* El helicóptero desciende lentamente hasta que el gancho de metal alcanza las hojas de los árboles recostados. Levanto el brazo sobre mi cabeza y hago un gesto circular para que baje más el gancho. Cuando desciende algunos centímetros, tomo el gancho, lo paso por debajo de los cables y me aparto dos pasos hacia atrás.

Al mirar hacia arriba, puedo ver que mi tío Bruce esboza una sonrisa. Le hago una señal y me indica con el pulgar que todo está bien, y se marcha. La pesada pila de árboles se levanta del suelo y desaparece en la distancia.

Por la noche, la luna creciente brilla sobre nuestra casa de campo. Al mirar por la ventana de arriba, me maravillo con las colinas que se pierden en la profundidad de la noche. De niña, solía pararme aquí y fingir que era el capitán de un barco que observaba el océano de noche, con sus olas, por lo general, mucho más oscuras que el cielo estrellado arriba.

Esa imagen permanece siempre igual gracias a la manera en que organizamos la plantación. Por cada árbol que cortamos, dejamos cinco en pie y plantamos un nuevo brote en su lugar. En seis años, cada uno de estos árboles habrá recorrido todo el país para convertirse en la pieza principal de cada hogar durante las fiestas.

Es por eso que mis vacaciones tienen otro tipo de tradiciones. El día anterior al Día de Acción de Gracias, con mamá estaremos viajando hacia el sur para reencontrarnos con papá. Luego, tendremos la cena de Acción de Gracias con Heather y su familia. Al día siguiente, comenzaremos a vender árboles desde la mañana hasta la noche, y no nos detendremos hasta Nochebuena. Esa noche, ya exhaustos, nos repartiremos un regalo a cada uno. No hay lugar suficiente como para guardar muchos regalos en nuestra casa rodante Airstream, nuestro hogar-lejos-del-hogar.

Nuestra casa de campo fue construida en la década de 1930. La escalera y el piso antiguo de madera hacen que sea imposible bajarse de la cama en medio de la noche sin emitir ningún sonido. Por eso, al bajar las escaleras, me mantengo cerca del borde para hacer el menor ruido posible. Estoy a tres pasos de la cocina cuando mi mamá me llama desde la sala de estar.

–Sierra, tienes que descansar al menos unas horas antes del viaje.

Cuando papá no está, mamá se queda dormida en el sofá con la televisión encendida. Mi lado romántico me dice que su habitación se siente muy solitaria sin la presencia de papá. Mi lado no romántico me dice que se duerme en el sofá para hacerse la rebelde.

Me cierro el salto de cama y me pongo unas zapatillas harapientas que hallo a un lado del sofá. Mamá bosteza y levanta el control remoto del suelo. Apaga el televisor y la habitación se oscurece.

Enciende una lámpara que se encuentra junto al sofá.

–¿A dónde vas?

–Al invernadero –le respondo–. Quiero traer el árbol aquí así no nos lo olvidamos.

En lugar de cargar el auto la noche antes de partir, colocamos los bolsos cerca de la puerta principal para poder revisarlos una vez más antes del viaje. Una vez que tomamos la autopista, nos espera un tramo muy largo como para volver hacia atrás.

—Luego te irás directo a la cama —me ordena mamá. Al igual que yo, también tiene problemas para dormir si está preocupada por algo.

—Si no descansas, no te dejaré conducir mañana.

Se lo prometo y cierro la puerta principal mientras me aprieto aún más la bata para cubrirme del aire frío de la noche. El invernadero seguramente está más cálido por dentro, pero solo voy a estar allí tiempo suficiente como para tomar el pequeño árbol, que hace poco trasplanté a una maceta negra de plástico. Me encargaré de guardar ese árbol junto al equipaje para plantarlo con Heather luego de la cena de Acción de Gracias. Con este ya habrán sido seis los árboles de nuestra granja que ahora crecen en la cima de los *Cardinals Peak,* en California. La idea para el próximo año es cortar el primero que plantamos y regalárselo a la familia de Heather.

Esa es otra razón por la cual esta no puede ser nuestra última temporada allí.

CAPÍTULO 3

Por fuera, la caravana se asemeja a un termo de color plateado recostado y frío, pero por dentro siempre me pareció acogedora. En el fondo, junto a una de las paredes, hay una pequeña mesa, y a su lado se encuentra mi cama reclinable, que también funciona como asiento. La cocina es un espacio bastante reducido en el que solo caben un lavabo, un refrigerador, un horno y un microondas. El baño cada año parece más pequeño, y eso que mis padres le cambiaron la regadera por una más grande. Con la regadera anterior me hubiera resultado prácticamente imposible lavarme las piernas sin la necesidad de hacer ejercicios de precalentamiento antes de tomar una ducha. En el otro extremo de la casa rodante, se encuentra la habitación de mis padres, que tiene espacio suficiente para la cama, un pequeño clóset, y un escabel para apoyar los pies. En este momento, la puerta se encuentra cerrada, pero puedo escuchar a mamá roncar, mientras descansa luego del largo viaje.

Una punta de mi cama toca el mueble de la cocina, sobre el cual se encuentra una despensa de madera. Clavo una tachuela blanca en la tapa. A mi lado, encima de la mesa, están los portarretratos de Rachel y Elizabeth, que sujeté con un listón brillante color verde para poder colgarlos juntos. Hago un nudo en un extremo de los listones y los sujeto con la tachuela. De esta manera, mis amigas podrán estar conmigo cada día.

–Bienvenidas a California –les digo, entusiasmada.

Me desplazo hasta la cabecera de la cama y corro las cortinas.

De pronto, un árbol de Navidad se desploma sobre la ventanilla y grito muy asustada. Las ramas se mueven de un lado a otro contra el vidrio, mientras alguien lucha para poner el árbol de pie.

Andrew inspecciona la ventanilla a través de las ramas para asegurarse de no haber roto el vidrio. Se sonroja al verme, y yo miro hacia abajo para asegurarme de estar vestida luego del baño. Recuerdo que, en varias ocasiones, al salir de la ducha matinal, caminé por la caravana tapándome solamente con una toalla, antes de darme cuenta de que muchos chicos de mi edad trabajaban allí afuera.

El año pasado, Andrew fue el único chico que me invitó a salir. Lo hizo por medio de una nota pegada en mi ventana. La idea era ser tierno, supongo, pero lo primero que se me cruzó por la cabeza fue la imagen de él caminando en la oscuridad a solo metros de donde yo me encontraba durmiendo. Por suerte, tuve el valor de decirle que no sería correcto salir con alguien que trabajara aquí. Si bien esto no es una regla general, mis padres, en reiteradas ocasiones, me hablaron de lo incómodo que sería involucrarse con alguien del trabajo.

Mamá y papá se conocieron cuando tenían mi edad, y él trabajaba con sus padres en este mismo lote. La familia de mamá vivía a pocas calles de aquí, y un invierno el amor fue tan intenso entre ambos que papá decidió volver para el campamento de béisbol ese mismo verano. Luego de casarse y quedar a cargo del lote, comenzaron a contratar a algunos jugadores de béisbol del equipo escolar que querían ganar algo de dinero extra durante las vacaciones. Cuando era más chica, esto no era un problema, pero ni bien entré en la adolescencia, aparecieron cortinas nuevas y aún más pesadas dentro de la casa rodante.

Como no puedo escuchar lo que Andrew me dice desde el otro lado de la ventanilla, logro entenderle un "lo lamento" por el movimiento de sus labios. Finalmente, logra enderezar el árbol y lo aparta unos metros para que las ramas de abajo no toquen ningún otro árbol cercano.

No tiene sentido dejar que una situación incómoda nos impida tener un trato amigable, por lo que abro un poco la ventanilla para hablarle.

–Entonces, de nuevo aquí por otro año.

Andrew mira a su alrededor para confirmar que es a él a quien le hablo. Luego me devuelve la mirada, mientras guarda sus manos en los bolsillos.

–Es bueno verte de nuevo –me responde.

Es fabuloso ver trabajar a las mismas personas durante varias temporadas seguidas, por eso, este año debo tratar de no dar una imagen errónea de mí.

–Escuché que también volvieron otros chicos del equipo de béisbol.

Andrew mira el árbol más cercano y le arranca un par de hojas.

–Sí –contesta, indiferente.

Enfadado, arroja las hojas al suelo y se marcha.

Sin dejar que esto me afecte, abro aún más la ventanilla y cierro los ojos. El aire nunca será el mismo que en casa, pero se asemeja. La vista es muy diferente también. En lugar de ver los árboles crecer sobre las colinas, aquí se encuentran amontonados en plataformas de metal dentro de un lote de tierra. Y en lugar de ver cientos de metros de plantación que se pierden en el horizonte, aquí solo se pueden ver unos pocos metros que terminan en la avenida *Oak Boulevard*. Al otro lado de la calle hay un estacionamiento abandonado junto al supermercado. Por tratarse del Día de Acción de Gracias, el mercado de McGregor se encuentra cerrado desde temprano.

McGregor tiene su tienda en ese mismo lugar desde

mucho antes de que mi familia comenzara el negocio de la venta de árboles en la ciudad. Es el único local en toda la comunidad que no pertenece a ninguna cadena importante. El año pasado, el dueño les dijo a mis padres que posiblemente no seguiría con el negocio para cuando ellos regresaran. Por eso, cuando papá llamó a casa hace unas semanas, lo primero que le pregunté fue si la tienda de McGregor estaba abierta. Recuerdo que, cuando era niña, disfrutaba mucho cuando mamá y papá se tomaban un descanso del trabajo y me llevaban a hacer las compras. A medida que fui creciendo, comenzaron a prepararme la lista y yo debía encargarme de ir a la tienda, sola. Pero en estos últimos años, debo ocuparme tanto de armar la lista como de realizar las compras.

Sigo con la mirada un auto blanco que pasa por la avenida, seguramente, para inspeccionar si el local de McGregor realmente se encuentra cerrado. El conductor aminora la velocidad al pasar frente a la tienda y luego se marcha a toda prisa.

—¡Seguro que se olvidó la salsa de arándanos! —papá grita desde algún lugar entre los árboles.

Los muchachos del equipo de béisbol se ríen a carcajadas.

Todos los años, en este mismo día, papá hace chistes sobre aquellos conductores que se alejan a toda velocidad del local de McGregor al encontrarlo cerrado. Frases como "¡No es lo mismo sin el pastel de calabazas!" o "¡Al parecer alguien se olvidó el relleno del pavo!" provocan que los chicos del equipo se rían a carcajadas.

Veo a dos de los muchachos mover un pesado árbol a un costado de la caravana. Uno de ellos tiene el brazo oculto entre las ramas del medio, mientras que el otro lo sigue, sosteniendo el tronco. Ambos se detienen para que el primero se acomode. El otro, mientras espera, mira hacia la ventanilla y cruza miradas conmigo. Sonríe y luego le susurra a su compañero algo que yo no logro oír, lo que provoca que también me mire.

Sorprendida, me paso la mano por el cabello para asegurarme de no estar despeinada, aunque no tengo ni la más mínima intención de impresionarlos, sin importar lo lindo que sean. Entonces, los saludo y me marcho.

Al otro lado de la puerta de la casa rodante, alguien se limpia la suela de sus botas contra los escalones. Si bien no ha llovido desde que papá preparó el lote antes del invierno, el suelo afuera siempre está húmedo. Varias veces al día, rellenamos con agua las plataformas que sostienen a los árboles y rociamos las hojas con atomizadores.

Alguien golpea la puerta.

Apenas la termino de destrabar, Heather la empuja con fuerza y grita. Su cabello oscuro y ondulado se mueve de un lado a otro mientras levanta las manos para abrazarme con cariño. Me río de su voz chillona y la sigo hasta mi cama, donde observa detenidamente las fotos de Rachel y Elizabeth.

–Me las regalaron antes del viaje –le comento.

Heather señala la imagen superior.

–Ella es Rachel, ¿no es así? ¿Se supone que está escapando de los paparazzi?

–Uh, se pondrá muy contenta cuando sepa que has entendido la idea –le contesto.

Heather se mueve hacia la ventanilla para ver hacia afuera y golpea el vidrio con un dedo. Uno de los jugadores de béisbol mira hacia donde estamos nosotras. Llevaba una caja de cartón que contenía la inscripción "muérdago" hacia la carpa principal verde y blanca que llamamos *la Administración*. Allí es donde telefoneamos a los clientes, vendemos algunos accesorios y exponemos los árboles cubiertos con nieve artificial.

–¿Has notado que los jugadores del equipo de este año son muy lindos? –me pregunta sin mirarme.

Claro que lo noté, pero sería mucho más sencillo no haberlo hecho. Si papá se llegara a enterar de que yo coqueteo con uno de los empleados, seguramente le haría limpiar los baños químicos para que el mal olor me espante, algo que, sin duda, lograría.

No es que yo quiera salir con alguien de aquí, sea un empleado del lote o no. Pero ¿por qué me aferraría a alguien que, al final, desaparecerá de mi vida luego de Navidad?

CAPÍTULO 4

Luego de la gratificante cena del Día de Acción de Gracias, y de que el papá de Heather repita la misma broma de "hibernar durante el invierno" como todos los años, nos preparamos para ir a uno de nuestros sitios favoritos. Los hombres se encargan de lavar los platos, en parte para poder seguir comiendo algunas sobras del pavo, y nuestras madres van al garaje para recoger algunas cajas con adornos de Navidad. Heather sube las escaleras corriendo para buscar dos linternas y yo la espero abajo.

Me encamino hacia el armario que se encuentra cerca de la puerta principal y tomo la sudadera verde musgo que mamá vestía durante nuestra caminata. Con letras amarillas grandes en el pecho se puede leer la palabra *LEÑADORES*, el lema escolar. Me paso la sudadera sobre mi cabeza y oigo que se abre una puerta en la cocina, lo que significa que nuestras madres ya regresaron. Rápidamente, miro hacia arriba para ver si Heather ya está bajando. La idea era huir antes de que regresaran para que no nos pidan ayuda.

–¿Sierra? –me llama mamá desde la cocina.

–¡A punto de salir! –le respondo gritando.

Mamá carga una caja de plástico trasparente llena de adornos envueltos en papel de periódico.

–¿Te molesta si uso tu sudadera? –le pregunto–. Cuando tú y papá regresen, te dejaré usar la mía.

–No, la tuya es muy pequeña –me responde.

–Lo sé, pero tú no estarás afuera tanto tiempo como nosotras –le aclaro–. Además, afuera no hace tanto frío.

–*Además* –dice mamá sarcásticamente– deberías haber pensado en traer la tuya antes de venir hasta aquí.

Empiezo a sacarme la sudadera, pero ella hace un gesto para que me la deje puesta.

–El próximo año, quédate y ayúdanos con… –sus palabras se pierden en la distancia.

Vuelvo la mirada hacia la escalera. Ella no sabe que he escuchado las conversaciones que tuvieron con papá, y el tío Bruce, acerca de la posibilidad de no abrir el lote el próximo año. Lo más lógico hubiera sido abandonar el negocio hace dos años, pero aún seguimos con la esperanza de que todo vuelva a ser como antes.

Mamá coloca las cajas de plástico sobre la alfombra de la sala de estar y las destapa.

–Está bien –le digo–. El próximo año.

Heather desciende a toda prisa por las escaleras con su sudadera roja que solo usa una vez al año para esta fecha. Los puños están desgarrados y el cuello muy estirado. La compramos al poco tiempo del funeral de mi abuelo en una tienda de segunda mano, un día que la mamá de Heather nos llevó de compras para subirme el ánimo. Cada vez que la veo con esa sudadera puesta, me provoca sentimientos encontrados. Por un lado, me recuerda lo mucho que extraño a mis abuelos cuando estoy aquí, pero por otro, me hace recordar lo buena que ha sido Heather conmigo.

Se detiene al pie de la escalera y me hace elegir entre dos linternas pequeñas, una púrpura y la otra azul. Elijo la púrpura y la guardo en mi bolsillo.

Mamá desenvuelve una vela con forma de hombre de nieve. A menos que a la mamá de Heather se le ocurra cambiar el orden de la decoración por primera vez en la historia, esa vela siempre se ubica en el baño principal. La mecha está negra debido a que el papá de Heather la encendió el año pasado. Al darse cuenta del olor a cera quemada, la mamá de Heather había golpeado la puerta del baño con fuerza hasta que el papá de Heather la apagó.

–Es un adorno –le había gritado–. ¡Se supone que no se tienen que quemar!

Mamá mira hacia la cocina y luego a nosotras.

–Si no quieren ser parte de esto, será mejor que se marchen ahora –nos advierte–. Tu mamá intenta participar en el concurso del peor suéter de Navidad y, al parecer, ya encontró al ganador.

—¿Qué tan feo es? —le pregunto.

—Si no gana, esos jueces no tienen ni la menor idea de lo que es un suéter horripilante.

Escuchamos que se abre la puerta trasera y nos escabullimos rápidamente hacia la puerta principal, que cerramos con fuerza ni bien salimos.

A un lado de la alfombra de bienvenida se encuentra el pequeño árbol que trajimos desde Oregon. Hace poco trasplanté el árbol de la maceta de plástico a un saco de tela para que sus raíces no se arruinen.

—Yo me encargaré de llevarlo la mitad del recorrido —dice Heather. Toma el saco del tamaño de un balón y lo sujeta con una mano—. Tú puedes llevar esa pequeña pala que trajiste, o lo que sea eso.

Tomo la pala de jardinería y nos ponemos en marcha.

A mitad de camino hacia la cima de los *Cardinals Peak*, Heather sugiere intercambiar los objetos. Me coloco la linterna en el bolsillo trasero y tomo el árbol.

—¿Lo tienes? —me pregunta. Asiento con la cabeza y ella toma la pala de mi mano.

Me acomodo y continuamos subiendo la colina. Nos

mantenemos por el medio del camino de tierra que, luego de tres curvas, nos llevará a nuestro destino. La luna parece un fragmento de uña que flota en la oscuridad de la noche, iluminando apenas este lado de la colina. Cuando tomemos la primera curva, necesitaremos aún más nuestras linternas. Por el momento, solo las utilizamos para espantar todo lo que escuchamos moverse entre los arbustos.

–Entonces, los chicos que trabajan en el lote están prohibidos –comenta Heather, como si estuviera continuando una conversación que solo ocurría en su mente–. Déjame pensar en otros chicos con los que tú podrías… ya sabes… pasar el tiempo.

Me río mientras tomo mi linterna del bolsillo trasero y la apunto hacia su rostro.

–Uh… estabas hablando en serio.

–¡Sí!

–No –le contesto y vuelvo a mirar su rostro–. ¡No! En primer lugar, estoy ocupada durante todo el mes, lo que significa que no tendríamos tiempo para vernos. En segundo lugar, y más importante, vivo en una casa rodante entre árboles de Navidad. No importa lo que diga o haga, papá siempre estará allí.

–De todos modos, vale la pena intentarlo –me dice, tratando de convencerme.

Me inclino para evitar que las ramas de los pinos arañen mi rostro.

—Además, ¿cómo te sentirías si supieras que tienes que romper con Devon justo antes de Navidad? Estarías destrozada.

Heather toma la pequeña pala de su bolsillo trasero y la golpea contra su pierna mientras caminamos.

—Ya que hablamos del tema, ese es el plan.

—¿Qué?

Heather se encoge de hombros.

—El punto es que tú tienes un estándar muy alto sobre cómo debería ser una relación, por eso estoy segura de que para ti sueno un poco…

—¿Por qué todo el mundo cree que mis estándares son altos? Además, ¿qué rayos significa eso?

—No te enfades, amiga —dice Heather, riendo—. Tu estándar es una de las razones por las que te quiero tanto. Tienes como una especie de… no sé… principios morales, y es maravilloso. Pero, lamentablemente, hace que alguien que piense en botar a su novio justo después de las vacaciones no se sienta muy bien. Ya sabes, si comparamos.

—¿Quién planea una ruptura con un mes de anticipación? —le pregunto.

—Bueno, sería demasiado cruel hacerlo pocos días antes del Día de Acción de Gracias —me responde—. ¿Qué le dirá a su familia durante la cena? ¿"Doy las gracias por tener el corazón roto"?

Caminamos varios metros en silencio, mientras pienso en la situación.

—Creo que ningún momento es el indicado, pero tienes razón que en determinadas ocasiones es peor. ¿Por cuánto tiempo llevas pensando eso?

—Desde Halloween –me responde–. ¡Aunque nuestros disfraces eran de lo mejor!

La luz de la luna desaparece al rodear la colina, por lo que apuntamos nuestras linternas directo a nuestros pies para poder ver mejor el camino.

—No es que él sea un idiota o algo parecido –comenta Heather–. Es más, no me molestaría seguir con la relación durante las vacaciones. Es amable, lindo y muy listo, aunque a veces no lo parezca. Pero en algunas ocasiones puede ser un poco… aburrido. O quizás despistado sea la palabra correcta. ¡No lo sé!

Nunca juzgaría a otra persona por las razones que tenga para terminar una relación. Cada uno quiere o necesita cosas diferentes. La primera persona con la que rompí, Mason, era astuto y divertido, pero también un poco demandante. Yo creía que necesitaba a una persona así, pero con el tiempo me di cuenta de que era algo cansador. Con esto aprendí que es mucho mejor estar con alguien que de verdad me quiera.

—¿Qué tan aburrido es? –le pregunto.

—Déjame explicártelo de esta forma –comenta–. Si yo tuviera que poner en palabras lo aburrido que es, escuchar lo que digo sería mucho más entretenido.

—¿De verdad? –le pregunto, sorprendida–. No puedo esperar a conocerlo.

–Por eso necesitas tener un novio mientras estás aquí –me dice–. Así podremos tener citas dobles y mis salidas no serán tan aburridas.

Estoy pensando en lo incómodo que sería salir con alguien de aquí, sabiendo que la relación tiene fecha de vencimiento. Si yo quisiera eso, podría haberle dicho que sí a Andrew el año pasado.

–Voy a dejar pasar lo de las citas dobles, pero gracias por la invitación –le respondo.

–No me lo agradezcas todavía –me dice–. Seguramente, te lo vuelva a proponer.

Luego de la siguiente curva, que nos llevaría hacia la cima de los *Cardinals Peak*, nos desviamos del angosto camino de tierra y nos adentramos entre arbustos de la altura de nuestras rodillas. Ella mueve la linterna de un lado a otro, y lo que parece ser un pequeño conejo se escapa en la oscuridad.

Caminamos unos metros más y los arbustos desaparecen casi por completo. Está muy oscuro para poder ver los cinco árboles de Navidad a la vez, pero cuando Heather apunta con la linterna a uno de ellos, mi corazón se llena de amor. Inspecciona detenidamente el terreno con la linterna hasta que el resto de los árboles es visible. Cuando los plantamos, lo hicimos de manera tal que no se tapen la luz del sol. El más alto de todos ya me supera por varios centímetros, y el más pequeño apenas alcanza mi cintura.

—Hola, chicos —digo al caminar entre ellos. Mientras sostengo el nuevo árbol con mi brazo, me acerco a tocar las hojas de los demás con mi otra mano.

—Vine hasta aquí la semana pasada —dice Heather—. Quité algunas hierbas y removí un poco de tierra para que hoy sea más fácil.

Coloco el árbol en el suelo y observo a Heather.

—Te estás convirtiendo en la Pequeña Miss Granja.

—Casi —me contesta—. Es que el año pasado nos tomó décadas sacar toda la maleza en la oscuridad, por eso pensé que…

—De cualquier forma, voy a hacer de cuenta que lo disfrutaste —la interrumpo—. Y sin importar la razón, no lo hubieras hecho de no ser una amiga estupenda. Así que, gracias.

Heather asiente con la cabeza y me entrega la pequeña pala.

Miro a mi alrededor hasta que encuentro el lugar perfecto. Todo árbol nuevo debe tener la mejor vista de lo que está ocurriendo allí abajo. Luego de arrodillarme sobre el suelo, el cual, gracias a Heather, está muy suave, comienzo a cavar un hoyo lo suficientemente profundo para que quepan las raíces.

Los últimos dos años que subimos hasta aquí arriba, nos turnábamos para cargar los árboles. Antes utilizábamos el carrito rojo de Heather para traerlos. Esta se transformó en mi pequeña granja de árboles, una forma de dejar una parte de mí aquí cuando regreso al norte.

Me pregunto si el próximo año podré cortar el árbol más grande. Esta temporada debía ser perfecta, no repleta de "qué pasará si…". Cada tanto me pregunto lo mismo con todo lo que hago. No sé cómo disfrutar de estos momentos sin preguntarme si se tratará del último.

Desato el nudo del saco que cubre las raíces, y cuando logro apartarlo, las encuentro a todas en su lugar, aún cubiertas con tierra de Oregon.

–Voy a extrañar estas caminatas –expresa Heather.

Coloco el árbol dentro del hoyo y disperso algunas raíces con las manos.

Heather se arrodilla a un lado y me ayuda a rellenar el hoyo con tierra.

–Por lo menos nos queda un año más –me dice para darme ánimo.

Sin poder mirarla, tomo otro poco de tierra con las manos y la esparzo por la base del árbol. Me sacudo las manos y me siento en el suelo. Llevo las rodillas a mi pecho y miro las luces de la ciudad colina abajo. Heather ha vivido allí abajo durante toda su vida. Si bien solo estoy aquí por poco tiempo cada año, siento como si también hubiera crecido en este lugar. Respiro hondo.

–¿Qué ocurre? –pregunta Heather, preocupada.

–Quizás no haya otro año –le digo mirándola a los ojos.

Me mira y frunce el ceño, pero no dice nada.

–No me lo dijeron directamente a mí –le cuento–, pero he escuchado a mis padres discutir esto desde hace tiempo.

Quizás no le encuentran sentido venir hasta aquí por otra temporada más.

Heather observa la ciudad.

Desde esta altura, cuando la temporada recién empieza y todas las luces comienzan a iluminar la ciudad, es posible ver nuestro lote de árboles de Navidad. A partir de mañana, un rectángulo de luces blancas rodeará nuestros árboles. Pero esta noche, el lugar en donde vivo es simplemente un punto negro a un lado de la larga avenida iluminada.

—Este año lo sabremos —le digo—. Sé que mis padres disfrutan tanto como yo venir hasta aquí. Pero mis amigas, en cambio, están muy entusiasmadas con la idea de que me quede en Oregon durante la Navidad.

Heather se sienta en el suelo a mi lado.

—Eres una de mis mejores amigas, Sierra. Y también entiendo que Rachel y Elizabeth sientan lo mismo, por eso no las puedo culpar, pero ellas te tienen el resto del año. No puedo ni siquiera imaginar que tú y tu familia no sean parte de mis vacaciones.

Tampoco quiero perder mis últimas vacaciones enteras con Heather. Pero es algo que hemos estado anticipando desde hace mucho tiempo. Hemos hablado del último año escolar con mucha anticipación.

—Me siento de la misma forma —le comento—. Es decir, me intriga saber cómo serían mis vacaciones en Oregon, no tener que estar pendiente de conectarme a internet para completar mis tareas y poder hacer todas esas cosas de invierno en mi casa por primera vez.

Heather contempla las estrellas por un largo tiempo.

–Pero te extrañaría demasiado –le digo para reconfortarla–, y todo lo que hay aquí también.

La veo esbozar una sonrisa.

–Quizás podría viajar unos días hacia allá, durante el receso escolar, para visitarte a *ti* por primera vez.

Reposo mi cabeza sobre su hombro y me quedo con la mirada perdida, sin prestarles atención a las estrellas y a la ciudad. Solo observo la nada.

Heather apoya su cabeza en la mía.

–No nos preocupemos por eso ahora –dice, y ambas nos quedamos calladas por varios minutos.

Luego de un tiempo, me encamino hacia el pequeño árbol. Golpeo el suelo a su alrededor con la mano y deslizo un poco más de tierra hacia su delgado tronco.

–Hagamos de este año el mejor año de todos, sin importar lo que pase –le digo, entusiasmada.

Heather se pone de pie y mira hacia la ciudad. La tomo de la mano y ella me sujeta fuerte. Me paro a su lado, inmóvil.

–Lo que sería asombroso –sugiere– sería ponerles luces a estos árboles para que todos los puedan ver desde abajo.

Es una idea maravillosa, una forma de compartir nuestra amistad con todos. Podría correr las cortinas desde mi cama y mirar las luces todas las noches antes de irme a dormir.

–Pero ya revisé los alrededores –me dice–, y esta montaña no tiene ni una simple toma de luz.

–La naturaleza en este lugar es tan anticuada –le digo, riendo.

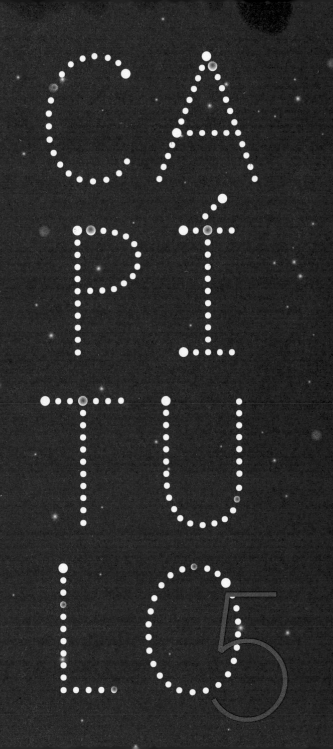

CAPÍTULO 5

Aún tengo los ojos cerrados cuando escucho a mamá y papá cerrar la puerta de la caravana. Giro sobre mi espalda y respiro hondo. Lo único que quiero son unos minutos más. Una vez que me levante de la cama, los días comenzarán a caer como fichas de dominó.

El día de apertura, mamá siempre se levanta lista para salir. Yo soy más como papá y puedo escuchar sus pesadas botas sobre el suelo de tierra afuera, mientras camina lentamente hacia la Administración. Una vez allí, se encargará de llenar la cafetera con café molido y agua caliente, y acomodará los saquitos de té y de cacao en polvo para los clientes. Aunque siempre las primeras gotas de café las sirve en su termo.

Deslizo mi cojín con forma de tubo hasta mi pecho y lo abrazo con fuerza. Luego de haber ganado dos veces la competencia del peor suéter de Navidad en los últimos seis años, la mamá de Heather se encargó de utilizar las mangas de los suéteres ganadores para hacer cojines. Los cosió por uno de los extremos, los rellenó con algodón y luego cerró la otra punta. Ella se quedó con uno para su familia y el otro me lo regaló a mí.

Lo levanto a la altura de mis ojos para contemplarlo. Está hecho de una tela que parece musgo y tiene un rectángulo azul oscuro en la parte del codo. Dentro del rectángulo hay copos de nieve que flotan alrededor de un reno volador con la nariz púrpura.

Abrazo con fuerza el cojín y vuelvo a cerrar mis ojos. Afuera, oigo que alguien se acerca a la caravana.

—¿Se encontraría Sierra? —pregunta Andrew.

—No en este momento — le contesta papá.

—Oh, está bien —responde—. Solo quería saber si podríamos trabajar juntos para terminar más rápido.

Aprieto la almohada con más fuerza todavía. No necesito que Andrew me espere afuera.

—Creo que todavía está durmiendo —le comenta papá—. Pero si necesitas hacer algo por tu cuenta, vuelve a revisar si los baños químicos tienen gel desinfectante para las manos.

¡Así es papá!

✳ ✳ ✳

Me detengo fuera de la Administración, todavía un poco adormilada, pero lista para darles la bienvenida a nuestros primeros clientes de la temporada. Un señor con su hija de unos siete años se bajan de su auto y, al contemplar los árboles, apoya cariñosamente una mano sobre la cabeza de la niña.

—Siempre me gustó este aroma —dice amablemente el padre de la niña.

Su hija se adelanta unos metros con la inocencia reflejada en sus ojos.

—¡Huele a Navidad!

Huele a Navidad. Eso es lo que dice la mayoría de las personas cuando llegan por primera vez, como si estuvieran conteniendo esas palabras durante todo el viaje.

Papá se asoma entre dos abetos azules camino a la Administración, seguramente para tomar más café. En primer lugar, le da la bienvenida a la familia y les sugiere que se comuniquen con cualquiera de nosotros si necesitan ayuda. Andrew camina con su vieja gorra de béisbol de los Bulldogs mientras carga una manguera en su hombro. Le dice a la familia que él se encargará de llevar el árbol hasta el auto cuando lo hayan encontrado. Al pasar, ni siquiera me mira por culpa de papá, y borro la sonrisa de mi rostro.

—¿Tienes lista la caja registradora? —me pregunta papá mientras llena su termo.

Camino detrás del mostrador cubierto de brillantes guirnaldas rojas y hojas de muérdago.

–Estoy esperando para saber de cuánto será la primera venta.

Papá me entrega mi taza favorita pintada con garabatos y líneas con forma de huevos de Pascua (creo que es necesario tener algo que no remita a la Navidad). Me sirvo un poco de café y abro un paquete de cacao en polvo para echarlo en la taza. Luego, desenvuelvo un pequeño bastón de caramelo y lo utilizo para revolver el café.

Papá se inclina sobre el mostrador para inspeccionar la mercadería en la Administración. Señala con el termo los árboles blancos que terminó de rociar esta mañana.

–¿Crees que son suficientes?

Tomo el bastón de caramelo, me lo llevo a la boca para quitarle el exceso de cacao y lo vuelvo a colocar dentro de la taza.

–Sí, lo son –le digo y tomo el primer sorbo de café. Tiene gusto a moca de menta barato, pero sirve.

Luego, el hombre con su hija se acercan y se detienen frente a la caja registradora. Me inclino sobre el mostrador para ver a la niña.

–¿Encontraron el árbol que querían?

Asiente entusiasmada con la cabeza y, cuando sonríe, puedo ver que le falta un diente.

–¡El más grande!

Es nuestra primera venta de la temporada y estoy tan entusiasmada que presiento que este año nos irá tan bien que volveremos por otra temporada más.

El padre de la niña toma una tarjeta con forma de árbol y la desliza hacia mí. Detrás de él, puedo ver a Andrew colocar el árbol dentro de un artefacto con forma de tubo de plástico. En uno de los extremos, se puede ver una red blanca y roja. Papá toma el tronco y desliza la parte del árbol envuelta en la red por el otro lado. Ambos giran el árbol a medida que la red lo envuelve y cortan el extremo restante para poder atar un nudo en la punta. Este proceso es parecido a lo que hace la mamá de Heather cuando recorta las mangas de los suéteres y las rellena para hacer cojines, pero con la diferencia de que no es tan feo.

Anoto nuestra primera venta y les deseo una muy feliz Navidad.

Para el mediodía, tengo las piernas cansadas y doloridas por cargar los árboles y estar de pie detrás del mostrador por tantas horas. Dentro de algunos días, ya estaré acostumbrada, pero ahora siento un gran alivio cuando veo a Heather entrar con una bolsa de cosas ricas que sobraron del Día de Acción de Gracias. Mamá nos manda directo a la casa rodante, y lo primero que hace Heather, al sentarnos en la mesa, es correr las cortinas para poder ver hacia afuera.

Me mira y mueve las cejas.

–Para tener una mejor vista.

Pasan dos chicos del equipo de béisbol cargando un pesado árbol en sus hombros uno atrás del otro.

–No tienes vergüenza –le digo mientras desenvuelvo un emparedado de pavo y arándanos–. Recuerda que tú todavía tienes que salir con Devon hasta Navidad.

Se acomoda para sentarse con las piernas cruzadas en la banca, que también es mi cama, y desenvuelve un emparedado para ella.

–Me telefoneó anoche y se tomó veinte minutos para contarme cómo fue su visita a la oficina de correos.

–Se ve que no es bueno para sacar temas de conversación –le comento. Le doy la primera mordida a mi bocadillo y me relajo al sentir el sabor del Día de Acción de Gracias en mi boca.

–No lo entiendes. Me contó esa misma historia la semana pasada y tampoco tenía sentido –me río y ella levanta las manos en el aire–. ¡Hablo en serio! No me interesa saber por qué esa señora gruñona que estaba delante de él intentaba enviar una caja de ostras a Alaska. ¿A ti sí?

–¿Si a mí me interesa enviar ostras a Alaska? –me inclino hacia ella y le jalo el cabello suavemente–. Eres muy mala.

–Soy honesta. Pero si de verdad quieres hablar de maldad –dice, vengativa–. Tú fuiste quien terminó con un chico porque te quería *demasiado*. Vamos, hablemos de romper corazones ahora.

–¿Mason? ¡Eso fue porque era muy demandante! –le aclaro–. Me había propuesto venir en tren hasta aquí para visitarme durante las vacaciones. Eso fue al principio del verano, y solo habíamos salido por unas pocas semanas.

–Suena dulce –dice Heather–. Al parecer, ya estaba seguro de que no podría soportar un mes lejos de ti. Yo definitivamente estaría dispuesta a tomarme un descanso de las historias de Devon por un mes.

Cuando Heather había comenzado a salir con Devon, estaba obsesionada con él, y eso ocurrió hace tan solo un par de meses.

–En fin –concluye–, por eso necesitamos salir en una cita doble mientras estés aquí. Puede ser una relación momentánea, no es necesario que te enamores o algo por el estilo.

–Está bien, es bueno saber eso –le digo–. Gracias.

–Por lo menos tendré a alguien con quien hablar .

–No me molestaría ir con ustedes dos cuando salgan –le propongo–. Es más, podría intervenir en la conversación si menciona algo sobre ostras. El problema es que este año estoy lo suficientemente estresada como para agregar un chico a mi vida.

Afuera, Andrew y otro chico nos miran por la ventana. Están hablando y riendo, pero no se detienen ni siquiera cuando se dan cuenta de que los estamos viendo.

–¿Nos están mirando comer? –pregunto–. Eso es muy triste.

Andrew voltea sobre su hombro, probablemente para asegurarse de que papá no lo esté viendo, y luego nos saluda. Antes de que pueda terminar de decidir si devolverle el saludo o no, papá les grita que vuelvan a trabajar. Aprovecho ese momento para correr las cortinas.

—Bueno, él todavía parece estar interesado —me dice Heather al levantar las cejas.

Sacudo la cabeza.

—Mira, no importa con quién sea la relación, el punto es que no causará más que problemas con mi papá vigilándonos todo el tiempo. ¿Hay algún muchacho que lo valga? Porque no lo encontraré detrás de esta ventana.

Heather golpea sus dedos contra la mesa.

—Tiene que ser alguien que no trabaje aquí… alguien a quien tu papá no mande a limpiar los baños.

—¿Has olvidado que te mencioné que no quiero salir con nadie mientras esté aquí?

—No lo olvidé —me responde Heather—, solo lo estoy ignorando.

Claro que está haciendo eso.

—Está bien, por una vez imaginemos que sí estoy interesada en una relación, aunque en realidad no lo esté. ¿Qué clase de chico dirías que puedo atraer, teniendo en cuenta que estaremos juntos solo un mes?

—No hace falta que hagamos esto —admite Heather—. Pero se podría decir que forma parte del trato, y un mes es bastante tiempo comparado con lo que duran algunas parejas. Así que, no te preocupes por eso. Considéralo un amor de invierno.

—¿Amor de invierno? ¿De verdad acabas de decir eso? —levanto la mirada y suspiro—. Necesitas dejar de mirar tanto *Hallmark Channel* en esta época del año.

—Piensa en lo siguiente, es una relación sin compromisos porque ya saben con anterioridad que se va a terminar. Y además tienes una linda historia para contarles a tus amigas cuando regreses.

Estoy segura de que no se va a rendir. Heather es más persistente que Rachel, lo cual es mucho. La única solución para ganarle es dejar pasar el tema hasta que no haya posibilidad de retomarlo porque ya sería demasiado tarde.

—Lo pensaré —le digo para terminar la conversación.

Escucho risas que me suenan familiares desde el exterior, por lo que corro las cortinas para mirar. Dos mujeres de mediana edad del Ayuntamiento se dirigen hacia la Administración con sus manos llenas de papeles.

Envuelvo lo que queda de mi emparedado para terminarlo luego y le doy un abrazo a Heather.

—Mantendré los ojos bien abiertos en busca de mi Romeo para las vacaciones, pero ahora tengo que volver al trabajo.

Heather envuelve su emparedado y lo guarda en una bolsa junto a los demás. Me sigue fuera de la caravana y se dirige hacia su auto.

—Yo también buscaré un Romeo para ti —me grita desde lejos.

Cuando entro, las mujeres del Ayuntamiento están hablando con mamá en el mostrador. La señora que parece mayor y que posee una larga trenza en el cabello, sostiene un afiche que contiene un camión recolector de basura cubierto con luces de Navidad.

–Si me permiten colgar alguno de estos afiches, la ciudad les estará muy agradecida. ¡El desfile de este año será el más grande de todos! No queremos que nadie se lo pierda.

–Claro –mamá les da permiso y la mujer con la trenza coloca cuatro afiches sobre el mostrador–. Sierra se encargará de colgarlos esta tarde.

Me inclino por debajo del mostrador para tomar la engrapadora. Salgo de la Administración con los afiches en la mano y trato de aguantar la risa al mirarlos. No estoy segura de si un camión recolector de basura decorado sea la manera de que asistan muchas personas, pero lo que es seguro es que genera un sentimiento de cercanía con la comunidad.

Cuando yo era más chica, la familia de Heather me llevó al desfile en varias oportunidades, y debo admitir que fue algo muy emotivo y divertido. La mayoría de los desfiles que muestran por la televisión son aquellos que ocurren en grandes ciudades como Nueva York o Los Angeles. Rara vez muestran noticias referidas al Club de Propietarios de Perros Pug, o al Club de Amigos de la Biblioteca, o a los tractores que hacen sonar villancicos de

Navidad estilo country a medida que avanzan por la calle. Aunque puedo imaginarme eso mismo en el festival que realizan en Oregon.

Sostengo el último afiche contra un poste de luz en la entrada del lote y lo engrapo por las esquinas superiores. Mientras aliso el afiche con mi mano, escucho la voz de Andrew detrás de mí.

—¿Necesitas ayuda?

—No te preocupes, puedo sola —le digo con los hombros tensos.

Engrapo las dos esquinas inferiores del afiche y aparento estar concentrada en el trabajo el tiempo suficiente para que Andrew se retire. Al voltear, me doy cuenta de que no me estaba hablando a mí, sino a otro chico muy lindo de nuestra edad, unos centímetros más alto que Andrew. El muchacho sostiene un árbol con una sola mano y, con la otra, se aparta un mechón de cabello oscuro de su rostro.

—Gracias, pero yo me encargo —le contesta, y Andrew se va.

El muchacho me mira y, al sonreír, se le forma un hoyuelo de la mejilla izquierda. Puedo sentir que me sonrojo y vuelvo la mirada hacia el suelo. Comienzo a sentir sensaciones extrañas en la panza y respiro hondo. Me repito una y otra vez que una linda sonrisa no dice nada de la persona.

—¿Trabajas aquí? —me pregunta con una voz suave, que me recuerda a las viejas canciones melódicas que mi abuelo solía tocar durante las vacaciones.

Levanto la mirada, aparentando ser seria.

–¿Has encontrado todo lo que necesitas?

Continúa sonriendo y el hoyuelo se mantiene en su mejilla. Me coloco un mechón de cabello detrás de la oreja y me esfuerzo por no desviar la mirada. Debo resistirme antes de avanzar.

–Así es –me responde–. Gracias.

Su forma de mirarme, casi como si estuviera estudiándome, me pone nerviosa. Me aclaro la garganta y dirijo la mirada hacia otro lado, pero cuando vuelvo a mirar hacia donde se encuentra él, noto que ya se está yendo con el árbol en sus hombros, como si no pesara nada.

–Ese color de piel te sienta bien, Sierra.

Parado a un lado del poste de luz, Andrew mueve su cabeza con los ojos fijos en mí. Quisiera responderle con algún comentario sarcástico, pero me he quedado muda.

–¿Sabes que los hoyuelos son en realidad una malformación? –agrega–. Significa que él tiene un músculo dentro de su rostro que no llegó a desarrollarse por completo. Es un poco asqueroso si te pones a pensarlo.

Me tomo la cintura con una mano para darle a Andrew la mejor mirada de *¿ya terminaste?* Quizás suene peor de lo que yo hubiera querido, pero pareciera que se le tiene que caer un piano en la cabeza si de verdad cree que ese es el camino para conquistar mi corazón.

Regreso la engrapadora al mostrador y espero. Quizás el chico de los hoyuelos regrese para comprar algún adorno de Navidad o uno de nuestros rociadores de agua especiales. O quizás necesite luces o muérdago. Pero, luego de un tiempo, me siento tonta. Le enumeré a Heather todas las razones por las que no quiero tener una relación mientras esté aquí, todas buenas razones, y estas no pueden haber cambiado en los últimos diez minutos. Estaré aquí por solo un mes. ¡Un mes! No tengo el tiempo suficiente, ni la valentía, para involucrarme en una relación de cualquier tipo.

Pero la idea queda flotando en mi mente. Quizás no me moleste estar en una relación que tenga fecha de vencimiento. Quizás puedo no ser tan exigente, como me tildan mis amigas, si sé que la relación no durará, ni aunque lo quisiera, por más de unas semanas. Si se trata de un chico lindo con unos hoyuelos adorables, entonces, ¡bien por él! Y por mí.

Esa misma tarde, le envío un mensaje de texto a Heather:

¿Qué implicaría realmente tener un amor
de invierno?

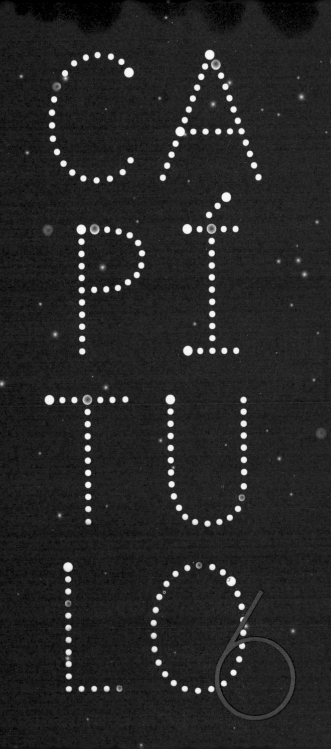

CAPÍTULO 6

El sol apenas se asoma y, al despertar, veo que he recibido dos mensajes de texto. El primero es de Rachel que se queja del esfuerzo que conlleva organizar el baile de invierno cuando la mayoría de las personas está alterada por sus exámenes finales y por las compras de Navidad. Si estuviera con ella, me habría convencido con facilidad de ayudarla, pero no hay nada que pueda hacer desde mil quinientos kilómetros de distancia. Por suerte, no me resulta complicado administrar el tiempo para el trabajo en el lote y las tareas de la escuela. Los profesores me envían una descripción de las clases junto con imágenes o videos para que pueda resolver las actividades cuando se tranquiliza el trabajo y tengo acceso a internet. Hablar con *Monsieur* Cappeau una vez a la semana no es lo más divertido del mundo, pero al menos me será útil para rendir la parte oral del examen de francés.

Me siento en la cama y leo el siguiente mensaje, esta vez, de Heather.

> Por favor, dime que lo dices en serio. Devon estuvo toda la noche hablando de su equipo de fútbol ideal. ¡Sálvame! Estoy a punto de hacer que piense en buscarse otra novia ideal.

Me levanto y le contesto el mensaje:

> Un chico muy lindo vino a comprar un árbol ayer.

Al dirigirme a la ducha, recibo un mensaje nuevo.

> ¡Quiero detalles!

Antes de que siquiera pueda desabrocharme los botones del pijama, recibo otro.

> No te preocupes. Cuéntame todo en el almuerzo.

Luego de bañarme, me coloco una sudadera gris y un par de jeans. Me hago una coleta en la parte superior de la cabeza, suelto algunos mechones de cabello sobre mi rostro, me maquillo, y ya estoy lista para salir. Una vez que llego a la Administración, veo a mamá detrás del mostrador guardando billetes en la caja registradora. Al verme, señala mi taza de Pascua con café caliente y el bastón de caramelo en su interior.

–¿Hace mucho que estás despierta? –le pregunto.

Sopla con delicadeza su propia taza.

–Es muy difícil dormir con los sonidos de tu móvil cada vez que tienes un mensaje nuevo.

–Oh. Lo siento mucho.

Papá se acerca y nos saluda con un beso en la mejilla a ambas.

–Buen día.

–Con Sierra estábamos hablando de los mensajes de texto –le comenta mamá–. Supongo que no necesita descansar su belleza, pero…

Papá se acerca y la besa en los labios.

–Tú tampoco lo necesitas, querida.

–¿Quién dijo que estaba hablando de mí? –dice mamá, riendo.

Papá la mira mientras se frota su barba blanca.

–Habíamos acordado que es importante que esté conectada con sus amigas en Oregon.

Preferí no mencionar que uno de los mensajes era de Heather.

–Eso es verdad –asiente mamá y me mira fijo–. Pero, quizás, podrías pedirles a tus amigas en Oregon que no se despierten tan temprano.

Me imagino a Rachel y Elizabeth en este momento, seguramente hablando por teléfono para planear el resto del fin de semana largo por el Día de Acción de Gracias.

–Ya que lo mencionan –agrego–, creo que es hora de que me digan si vamos a volver aquí o no el próximo año.

Mamá abre los ojos y voltea hacia papá, quien toma un largo sorbo de café de su termo.

–¿Estuviste espiándonos mientras hablábamos?

–No los estaba espiando, solo escuché de casualidad –les aclaro mientras me acomodo un mechón de cabello–. Entonces, ¿qué tan preocupada debo estar?

Papá toma otro sorbo antes de contestar.

–No tienes que preocuparte por la granja –me dice para tranquilizarme–. Las familias siempre querrán tener su árbol de Navidad, incluso si los tienen que comprar en un hipermercado. El punto es que, quizás, no seamos nosotros quienes los vendan.

Mamá me toca el brazo preocupada.

–Haremos todo lo posible para mantener el lote funcionando.

–No es que me preocupe solo por mí –les aclaro–. Es decir, por supuesto que tengo motivos personales para desear que permanezca abierto, pero este lugar está en pie desde que el abuelo lo fundó. Aquí fue donde ustedes dos se conocieron. Es su vida.

Papá asiente y, luego, se encoge de hombros.

–En realidad, la granja es nuestra vida. Siempre vi este

lugar como el premio final, si tenemos en cuenta que en nuestro hogar los horarios de trabajo son mucho más exigentes que aquí. Ver a los clientes entusiasmados por encontrar el árbol perfecto siempre me pareció muy gratificante. Sería muy difícil abandonar todo esto.

Me siento orgullosa de mis padres porque nunca permitieron que esto se convierta tan solo en un negocio.

–Y eso seguirá ocurriendo con nuestros árboles –añade–, en algún otro lugar, claro, pero…

Pero otra persona podrá disfrutar ese momento.

Mamá aparta su mano de mi brazo y ambas miramos a papá. Esto debe ser muy difícil para él.

–El lote ha estado al borde de la quiebra en los últimos años –comenta–. El último año, con la paga extra a los empleados, en realidad, perdimos dinero. Lo pudimos compensar con ventas a los mayoristas y creo que fue en ese momento cuando la situación cambió. Tu tío Bruce se está encargando de eso mientras nosotros estamos aquí –toma otro sorbo de café–. No estoy seguro de cuánto tiempo podremos manejar la situación antes de que tengamos que declarar la…

Su voz se apaga, incapaz de decirlo o, siquiera, de pensarlo.

–Entonces, es verdad –digo con tristeza–. Nuestra última Navidad en California.

–Todavía no hemos decidido nada, Sierra. Pero sería una buena idea que hagamos de estas vacaciones unas que recordemos toda la vida –me dice mamá con dulzura en su mirada.

Heather abre la puerta de la casa rodante y entra con otras dos bolsas de bocadillos de Día de Acción de Gracias. Su mirada penetrante me transmite que quiere saber todo sobre el chico lindo que vino ayer. Devon entra detrás de ella con la mirada fija en su teléfono celular. Incluso con su rostro vuelto hacia abajo, puedo decir que es atractivo.

–Sierra, él es Devon. Devon, ella es… ¡Devon, levanta la vista!

Me mira y sonríe. Su cabello corto castaño contornea sus mejillas, pero es su mirada pacífica la que provoca que me agrade de inmediato.

–Un gusto conocerte –le digo.

–Igualmente –me responde mirándome por un largo rato, antes de desviar la vista nuevamente a su teléfono.

Heather le entrega a Devon una de las bolsas de comida.

–Cariño, llévales esto a los chicos de afuera. Y ayúdalos a mover árboles o algo así.

Devon toma la bolsa sin levantar la vista de su móvil y sale de la casa rodante. Muevo la computadora hacia una almohada detrás de mí para que Heather se pueda sentar a la mesa conmigo.

–Al parecer estabas sola cuando Devon pasó a buscarte –Heather parece confundida ante mi comentario, por lo que le señalo su cabello–. Está un poquito despeinado.

Sus mejillas se ponen coloradas y lleva sus manos a la cabeza.

–Oh, tienes razón…

–¿Y bien? ¿Cómo están las cosas entre ti y el Sr. Monosilábico?

–Muy buena palabra –señala divertida–. Si tengo que elegir entre escucharlo hablar o besarlo, prefiero besarlo para darle un mejor uso a su boca.

Al oír eso, comienzo a reír a carcajadas.

–Lo sé, lo sé, eso fue muy cruel –admite–. En fin, cuéntame sobre ese chico que vino ayer.

–No tengo idea de quién es. No hay mucho para decir.

–¿Cómo es? –pregunta destapando un recipiente con ensalada de pavo con nuez y apio. Al parecer, su familia todavía está intentando deshacerse de todas las sobras del Día de Acción de Gracias.

–Solo lo vi por un momento –aclaro–, pero parecía de nuestra edad. Tenía un hoyuelo en su mejilla que…

Heather se recuesta con mirada sospechosa.

–¿Cabello oscuro? ¿Sonrisa matadora?

¿Cómo puede saber eso?

Heather toma su teléfono, toca varias veces la pantalla y luego me muestra una imagen del mismo chico del que estaba hablando.

–¿Es él?

Al oírla, puedo notar que no parece estar contenta.

–¿Cómo lo supiste?

–Lo primero que mencionaste fue su hoyuelo en la mejilla. Esa fue la señal reveladora –sacude la cabeza–. Aunque también podría haber sido pura suerte. Lo siento, Sierra, pero no. Caleb no.

Así que su nombre es Caleb.

–¿Por qué no?

Se recuesta y coloca sus dedos en el borde de la mesa.

–Simplemente, no es la mejor opción, ¿está bien? Busquemos a otra persona.

No voy a dejar que esto se termine aquí y ella lo sabe.

–Hay un rumor –comienza–, y estoy muy segura de que es verdad. En fin, algo ocurrió.

–¿De qué se trata? –esta es la primera vez que la oigo hablar tan enigmática sobre una persona–. Me estás poniendo nerviosa.

Mueve la cabeza de un lado a otro.

–No quiero ser parte de esto. Odio ser entrometida, pero no voy a salir en una cita doble con él.

–Vamos, dime.

–Todavía no está confirmado, ¿ok? Es solo algo que escuché –me mira fijo a los ojos, pero no diré ni una palabra hasta que hable–. Se dice que atacó a su hermana con un cuchillo.

–¿Qué? –mi estómago se revuelve–. Ese chico es… ¿ella sigue con vida?

Heather se ríe y no puedo entender si es porque está nerviosa o si se trata de una broma. Mi corazón comienza a latir más rápido, pero, al final, también me río un poco.

–No, no la asesinó –aclara Heather–. Por lo que sé, ella se encuentra bien.

Entonces no era una broma.

–Pero ya no vive aquí –agrega–. No sé si por el ataque, aunque eso es lo que la mayoría de las personas creen.

Me recuesto en la cama y coloco una mano sobre mi frente.

–No me esperaba eso.

Heather se inclina y me da una palmada en la pierna por debajo de la mesa.

–Seguiremos buscando.

Quiero decirle que no me moleste. Que ya no estoy interesada en un amor de invierno, en especial, cuando el único chico en el que me interesé atacó a su hermana con un cuchillo.

Una vez que terminamos de comer, salimos para encontrarnos con Devon, así yo puedo volver al trabajo. Está sentado en una mesa de picnic detrás de la Administración con un grupo de muchachos, quienes almuerzan los bocadillos que trajo Heather. También veo a una chica bonita abrazada a Andrew que no había visto antes.

–Creo que no nos conocemos –le digo–. Me llamo Sierra.

–Oh, ¡tus padres son los dueños de este lugar! –levanta

su mano con las uñas recién pintadas y la estrecho–. Mi nombre es Alyssa. Solo pasaba por aquí para almorzar con Andrew.

Dirijo la mirada hacia Andrew, que está muy colorado y se encoje de hombros.

–Nosotros no somos… tú sabes…

La chica deja caer la mirada y coloca las manos en su pecho antes de mirar a Andrew.

–¿Ustedes dos…?

–¡No! –respondo rápidamente.

No estoy segura de lo que intenta hacer Andrew. ¿De verdad cree que si los veo juntos no pensaré que es algo serio? ¡Como si me importara! De cualquier forma, espero que se convierta en una relación seria. Tal vez Alyssa lo ayude a superarme de una vez por todas.

Volteo hacia Heather.

–¿Te veré más tarde?

–Podemos pasar a buscarte con Devon cuando hayan cerrado el lote –sugiere–. Quizás salgamos para hacer amigos. Aunque tú solo quieres uno, ¿verdad?

Heather no solo es insistente sino, también, poco sutil. Levanta las cejas al mirarme.

–Un mes, Sierra. Muchas cosas pueden ocurrir en un mes.

–No esta noche –le ruego–. Quizás en otra ocasión.

Pero, por varios días, no puedo dejar de pensar en Caleb.

CAPITULO 7

Varias veces a la semana, Heather pasa por el lote antes de ir a la escuela. Se queda conmigo en la Administración para ayudarme con aquellos clientes que traen a sus hijos. En esas ocasiones, yo me encargo de atender a los padres y ella, mientras tanto, entretiene a los niños.

–Anoche le pregunté a Devon qué le gustaría que le regale para Navidad –me comenta desde la mesa de bebidas, mientras coloca pequeños malvaviscos, uno por uno, dentro de su taza de chocolate caliente.

–¿Qué te dijo?

–Espera un momento, estoy contando.

Cuando termina de poner dieciocho malvaviscos en la taza, toma un sorbo.

–Se encogió de hombros. Eso fue todo lo que duró la conversación. Pero luego pensé que quizás eso haya sido lo mejor. ¿Te imaginas si me hubiera pedido algo muy costoso? Y si me preguntaba a mí, yo también tendría que haberle pedido algo del mismo valor.

–Y eso es un problema porque…

–¡No puedo permitir que nos hagamos regalos lindos justo antes de terminar la relación!

–En ese caso, pueden hacer los regalos ustedes mismos –le propongo–. Algo pequeño y económico.

–¿Algo hecho en casa con amor? ¡Eso es peor! –se dirige hacia un árbol blanco y posa su mano en la nieve artificial–. ¿Cómo podrías terminar con alguien que acaba de tallarte una pieza en madera o algo parecido?

–Esto se está tornando muy complicado –agrego. De abajo del mostrador, tomo una caja de cartón repleta de pequeños envoltorios con muérdago y la coloco sobre la banqueta–. Quizás debas hacerlo ahora mismo. Lo lastimarás de cualquier manera.

–No, definitivamente lo quiero conservar durante las vacaciones –toma otro sorbo de su taza y se coloca del otro lado del mostrador–. Bueno, hablemos en serio sobre conseguir a alguien para ti. El desfile se acerca y necesito que estés con alguien para hacer lo de las citas dobles.

Me recuesto sobre el mostrador para reponer el exhibidor con los paquetes de muérdago.

–Empiezo a creer que la idea de un amor de invierno no funcionará. Admito que lo pensé cuando vi a Caleb, pero creo que no elijo bien a primera vista.

Heather me mira directo a los ojos y asiente mientras desvía la mirada hacia el estacionamiento.

–Recuerda eso que me acabas de decir, ¿está bien? Porque aquí viene él.

Siento que mis ojos se agrandan al oír eso.

Heather da dos pasos hacia atrás y me hace señas para que la acompañe. Me acerco hacia ella y señala una camioneta antigua color púrpura que se encuentra vacía.

Si en verdad es su camioneta, ¿qué rayos hace aquí? Ya compró su árbol el otro día. Debajo de la cajuela se puede ver una calcomanía con el logo de una escuela que nunca escuché nombrar.

–¿Dónde queda la escuela *Sagesbrush Junior High*? –le pregunto.

Heather se encoge de hombros y un rizo de su cabello, que recién se había colocado detrás de la oreja, cae sobre su rostro.

En la ciudad solo hay seis escuelas primarias, una escuela secundaria y una preparatoria. Cada invierno, asistía a la misma escuela que Heather. Pero, una vez que ingresamos a la preparatoria, comencé a realizar mis tareas a través de internet sin la necesidad de asistir personalmente.

Heather mira hacia los árboles.

–¡Oh! Allí está. Dios mío, es muy lindo.

–Lo sé –murmuro. Por un momento, dejo de mirar en esa dirección y, en su lugar, observo la punta de mi pie que se entierra en el lodo.

Me toca el codo y susurra.

–Aquí viene.

Antes de que pueda decir algo, ella se mueve hacia la otra punta de la Administración.

Por el rabillo del ojo puedo ver que alguien aparece entre dos árboles. Caleb camina directo hacia mí con una sonrisa brillante.

–¿Tú eres Sierra?

Todo lo que puedo hacer es asentir con la cabeza.

–Entonces, es de ti sobre quien hablan los demás empleados.

–¿Cómo dices?

Suelta una pequeña risa.

–No sabía si, quizás, habría otra chica trabajando hoy.

–Solo yo –le aclaro–. Mis padres son los dueños de este lugar y lo operan por su cuenta.

–Eso explica por qué los chicos tienen miedo de hablarte –agrega–. Vine el otro día. Tú me preguntaste si necesitaba ayuda, ¿lo recuerdas? –me dice al notar que no le respondo nada.

No sé qué debería decirle. Lo noto cambiar el peso de su cuerpo de una pierna a la otra y vuelve a repetir la acción al ver que continúo callada, lo que provoca que casi me ría. Al menos no soy la única que está nerviosa.

Detrás de él, puedo ver cómo dos chicos del equipo de béisbol levantan las hojas del suelo. Caleb se detiene al lado mío y los mira limpiar el piso. Trato de quedarme quieta.

–¿Tu papá de verdad les hace limpiar los baños si te hablan?

–Incluso si tan solo *piensan* en hacerlo.

–Entonces los baños deben estar extremadamente limpios –me responde y pienso que esa puede ser la frase más extraña que jamás oí para seducir a alguien, si eso está intentando.

–¿Puedo ayudarte con algo? –le pregunto–. Ya sé que tienes un árbol…

–Entonces sí te acuerdas de mí –noto una expresión de felicidad en su rostro.

–Yo me encargo de armar el inventario –le contesto para que crea que solo lo recuerdo por el trabajo–, y soy muy buena en eso.

–Ya veo –asiente lentamente–. ¿Qué clase de árbol llevé?

–Un abeto azul –le respondo, sin estar segura si es verdad.

Ahora sí se lo nota sorprendido.

Me coloco detrás del mostrador, de manera tal que la caja registradora y el muérdago queden entre nosotros.

–¿Algo más en lo que te pueda ayudar?

Me entrega una etiqueta de otro árbol.

–Este es más grande que el anterior, algunos muchachos ya lo están subiendo a la camioneta en este momento.

Al darme cuenta de que estuve mirándolo directo a los ojos por un largo tiempo, vuelvo rápidamente la mirada hacia los exhibidores más cercanos.

–¿Quieres llevar una corona navideña? Están frescas. O ¿algún adorno?

Una parte de mí quiere que termine de venderle el árbol para que acabe este momento incómodo, pero otra parte de mí no quiere que se marche.

Se queda callado por varios segundos y me veo obligada a mirarlo de nuevo. Noto que está observando todo lo que hay en la Administración. Quizás sí necesite algo más. O quizás solo sea una excusa para quedarse más tiempo. Luego, cuando ve la mesa con las bebidas, su sonrisa se torna más brillante.

–Definitivamente, voy a tomar un chocolate caliente.

Se acerca a la mesa y toma un vaso descartable. A lo lejos, puedo ver que Heather se asoma por detrás de un árbol recubierto con nieve artificial mientras toma su propio chocolate caliente. Cuando se da cuenta de que la estoy mirando, sacude la cabeza y me dice "mala idea" con el movimiento de sus labios, antes de desaparecer entre las ramas.

Mi corazón se detiene cuando veo que comienza a desenvolver un bastón de caramelo para mezclar el chocolate caliente. Lo suelta en el vaso y el bastón comienza a girar.

–Así es como hago el mío –le comento.

–¿Por qué no lo harías?

–Sabe a moca de menta barato –le respondo.

Inclina su cabeza y mira su bebida con otros ojos.

–Puedes llamarlo como quieras, pero suena un poco despectivo –se acerca al mostrador para saludarme.

–Un gusto conocerte oficialmente, Sierra.

Miro su mano, luego a él, y vacilo por unos segundos. En ese momento, puedo ver que deja caer un poco sus hombros. Yo sé que es mejor no ser prejuiciosa con alguien, y mucho menos por un rumor del cual ni siquiera Heather está segura de que sea verdad. Estrecho su mano.

–Tú eres Caleb, ¿no es así?

Su sonrisa se apaga un poco.

–Así que alguien te estuvo hablando de mí.

Quedo congelada. Incluso si no es el chico indicado para el romance de invierno, no se merece que lo juzgue una persona que recién acaba de aprender su nombre.

–Seguramente lo escuché de alguno de los chicos que te ayudaban –le contesto.

Sonríe pero su hoyuelo no aparece.

–En fin, ¿cuánto te debo?

Marco el precio en la caja registradora y saca un manojo de billetes. Me entrega dos de veinte y varios de un dólar.

–No tuve tiempo de cambiarlos por billetes más grandes cuando salí del trabajo –me comenta y se empieza a sonrojar un poco. El hoyuelo vuelve a aparecer en su mejilla.

Hago un gran esfuerzo para no preguntarle dónde trabaja, así paso a verlo "por accidente".

–Siempre vienen bien –le digo mientras cuento los billetes de un dólar y le entrego cincuenta centavos de vuelto.

Guarda las monedas en su bolsillo y su piel vuelve a la normalidad, al igual que su confianza.

–Tal vez te cruce algunas veces antes de Navidad.

–Ya sabes dónde encontrarme –le contesto. No estoy segura de si eso sonó como una invitación, o si tal vez eso fue justamente lo que quise decir. ¿Realmente quiero verlo otra vez? No es de mi incumbencia husmear sobre su vida, pero no puedo dejar de recordar la forma en que sus hombros cayeron cuando no le estreché la mano enseguida.

Sale de la Administración y guarda el dinero en el bolsillo trasero del pantalón. Espero un momento y luego me aparto rápidamente del mostrador para verlo marcharse. Al acercarse a su camioneta, le entrega un par de dólares a uno de los muchachos.

Heather se acerca y juntas miramos cómo Caleb y uno de los muchachos cierran la cajuela de la camioneta.

–Desde mi perspectiva, la situación parecía bastante incómoda –señala–. Lo siento, Sierra. No debí haberte mencionado nada de eso.

–No te preocupes, puedo sentir algo extraño en él –le comento, pensativa–. No sé lo que es, pero ese chico está cargando con algún peso en su espalda.

Me mira y levanta las cejas.

–Todavía estás interesada en él, ¿no es así? Puedo ver que sigues pensando en salir con alguien.

Me río y vuelvo detrás del mostrador.

–Es un chico lindo y nada más. Eso solo no es suficiente para que salga con alguien.

–Bueno, eso es muy inteligente de tu parte –acota Heather–, pero él es el único chico con el que te he visto actuar tan rara desde que te conozco.

–¡Él también actuaba raro!

–Tuvo sus momentos –añade–, pero tú ganaste esta vez.

Luego de hablar con *Monsieur* Cappeau por teléfono para contarle en francés todo lo que hice en la semana, mamá me deja salir antes del trabajo. Como todos los años, Heather me invita a ver una maratón de películas en las que aparece su celebridad favorita del momento mientras comemos palomitas de maíz de un inmenso balde. Papá me ofrece la camioneta, pero decido ir caminando. En Oregon, seguramente habría tomado las llaves para evitar el frío. Pero aquí, incluso a fines de noviembre, el clima está bastante agradable.

Al caminar, paso por la puerta del otro lote de árboles de la ciudad. Sus árboles y la tienda ocupan tres hileras del estacionamiento de un supermercado. Cada temporada saludo a sus dueños, quienes, como mis padres, rara vez salen del lote una vez que comienzan las ventas.

Con un brazo entre las ramas de un árbol, el Sr. Hopper guía a un cliente hacia el estacionamiento. Me abro paso entre los autos estacionados para saludarlo por primera vez este año. El chico que lleva el árbol se acerca a una camioneta púrpura y lo coloca dentro de la cajuela.

¿Caleb?

El Sr. Hopper empuja el resto del árbol dentro del vehículo y gira hacia mí. Trato de mirar hacia otro lado lo más rápido posible, pero no hago a tiempo.

–¿Sierra?

Respiro profundo y volteo. Lleva puesta una chaqueta cuadrillé naranja y negra que combina con su gorro con orejeras y se acerca para darme un fuerte abrazo. Aprovecho el momento para observar a Caleb, quien se recuesta sobre la camioneta y sonríe al verme.

Nos ponemos al día con el Sr. Hopper y acordamos vernos varias veces más antes de Navidad. Cuando regresa hacia su lote, Caleb aún continúa mirándome mientras toma algo de su vaso descartable.

–Dime cuál es tu adicción –le digo desde lejos–. ¿Los árboles de Navidad o las bebidas calientes?

Su hoyuelo se hace más profundo y me acerco aún más. Tiene el cabello sobre su rostro, lo que me hace pensar que levantar tantos árboles no le da tiempo para peinarlo. Antes de que pueda responder a mi pregunta, el Sr. Hopper y uno de sus empleados colocan un segundo árbol en la camioneta de Caleb.

Caleb me mira y se encoge de hombros.

—De verdad, ¿qué está ocurriendo? —le pregunto confundida.

Cierra la puerta de la cajuela con indiferencia, como si no fuera tan extraño encontrarlo en otro lote de árboles.

—Me gustaría saber qué es lo que te trae a *ti* por aquí —me interroga—. ¿Estás espiando a la competencia?

—Oh, nadie compite en época navideña —respondo con tranquilidad—. Pero ya que tú pareces ser todo un experto, ¿quién tiene el mejor lote?

Toma otro sorbo de su bebida y veo cómo se mueve su nuez de Adán al ingerir el líquido.

—Definitivamente tu familia es la ganadora —señala—. Aquí se les acabaron los bastones de caramelo.

—Cómo se atreven —le digo fingiendo enfado.

—¡Lo sé! —añade—. Tal vez deba quedarme con ustedes.

Toma otro sorbo de su bebida y queda en silencio. ¿Quiere decir que vendrá a comprar más árboles? Eso significa mayor cantidad de oportunidades para avanzar y no sé cómo debería sentirme al respecto.

—¿Qué clase de persona compra tantos árboles en un mismo día? —le pregunto intrigada—. ¿O, incluso, en una misma temporada?

—Para contestar la primera pregunta —comienza—, soy adicto al chocolate caliente. Supuse que si debía tener una adicción, esa no es de las peores. Con respecto a tu segunda pregunta, cuando uno tiene una camioneta, se pueden encontrar mil formas de llenarla. Por ejemplo, durante el verano, ayudé a tres compañeros de trabajo de mi mamá a que se muden.

–Ya veo. Entonces eres esa clase de chico –le respondo. Camino hacia uno de sus árboles y comienzo a tocar las hojas–. Eres de esos con los que uno puede contar si necesita ayuda.

Coloca su brazo sobre la camioneta.

–¿Eso te sorprende?

Me está poniendo a prueba porque sabe que he oído algo sobre él. Y tiene todo el derecho a hacerlo porque no estoy segura de cómo responderle.

–¿Debería sorprenderme?

Dirige su mirada a los árboles y puedo notar que se siente desilusionado por mi forma de evadir la pregunta.

–Deduzco que esos árboles no son para ti –agrego.

Sonríe. Siento el impulso de acercarme, sin estar segura de si debería hacerlo o no.

–Bueno, si planeas comprar algunos más, conozco bastante bien a los dueños del otro lote. Quizás, incluso, podría conseguirte un descuento.

De su bolsillo, extrae un puñado de billetes de un dólar y toma algunos.

–De hecho, ya estuve allí dos veces desde la vez que te vi colgar los afiches para el desfile, pero tú no estabas.

¿Eso quiere decir que esperaba verme? Claro que no se lo puedo preguntar, por lo que apunto a su mano.

–Tú sabes, el banco te podría cambiar todos esos billetes por unos más grandes.

–Qué puedo decir, soy muy perezoso –dice cambiando los billetes de mano.

–Al menos, conoces tus defectos –le digo para alentarlo–. Eso es saludable.

–Conocer mis defectos es algo en lo que soy realmente bueno –me dice mientras guarda el dinero en su bolsillo.

Si fuera lo suficientemente valiente, utilizaría eso como pie para preguntarle por su hermana, pero una pregunta como esa podría hacer que se suba a la camioneta y se marche.

–Conque defectos, ¿eh? –doy un paso hacia adelante–. Compras todos esos árboles y ayudas a las personas a mudarse, seguramente estás en la lista negra de Santa.

–Si lo ves de esa manera, después de todo, no soy tan malo.

Hago un chasquido con los dedos.

–Tal vez consideras tu afición a los dulces como un pecado capital.

–No, no recuerdo que lo hayan mencionado en la iglesia –afirma irónicamente–. Pero la pereza sí lo es y yo estoy ahí. No he comprado otro peine desde que perdí el mío hace varios meses.

–Y mira el resultado –le digo al señalarle su cabello con la mirada–. Eso es casi imperdonable. Creo que tendrás que echar un ojo por otro lugar para el descuento por los árboles.

–¿*Echar un ojo?* –pregunta asombrado–. Es decir, es una buena frase, pero creo que nunca la he utilizado en una oración.

–Oh, vamos, no me digas que la consideras una frase extraña.

Su risa es tan perfecta que quiero seguir produciéndola. Pero esta conexión no es una buena señal. Sin importar lo lindo que sea, o que nos riamos juntos, debo recordar lo que me contó Heather.

Como si pudiera leer mis pensamientos, su rostro comienza a mostrar una mueca de tristeza y dirige la mirada hacia los árboles.

–¿Qué ocurre? –me pregunta.

Si nos seguimos cruzando, siempre tendremos algo de qué hablar y el rumor siempre estará presente.

–Mira, es obvio que hay algo que escuché… –se me apaga la voz al terminar la frase. Pero ¿por qué debo decirlo? Podríamos simplemente volver a como era antes, cuando él solo era un cliente y yo la chica de los árboles. No es necesario mencionar ese tema.

–Lo sé, es bastante obvio –me dice–. Siempre lo es.

–Pero yo no quiero creerlo si…

Saca las llaves de su bolsillo sin mirarme.

–Entonces, no te preocupes por eso. Podemos seguir hablando bien, yo seguiré comprándote los árboles, pero... –su mandíbula se tensa. Puedo ver que intenta levantar la mirada hacia mí, pero no puede.

No hay nada más que pueda decir. No me ha dicho que lo que me contaron es mentira. Las próximas palabras deberán salir de él.

Se acerca a la puerta del conductor y, al subir, la cierra con fuerza.

Doy un paso hacia atrás.

Enciende el motor y me saluda con un leve movimiento de su mano a medida que se aleja.

CAPITULO 8

Los sábados entro a trabajar al mediodía, por lo que Heather me recoge temprano y le propongo desayunar en el *Breakfast Express*. Me mira de manera extraña pero, de todas formas, conduce en esa dirección.

–¿Al final puedes venir al desfile con nosotros? –me pregunta.

–No veo por qué no –le respondo–. Toda la ciudad asistirá y no habrá mucho trabajo en el lote en ese momento.

Pienso en la expresión de tristeza de Caleb al saludarme desde su camioneta anoche y en el peso que carga sobre sus hombros que le impedía mirarme. Aun cuando no deba involucrarme con él, me gustaría volver a ver su camioneta en el lote.

–Devon piensa que deberías invitar a Andrew al desfile –comenta Heather–. Está bien, ya sé lo que vas a decir…

Al oír eso, mis ojos casi saltan de sus órbitas.

—¿Le dijiste a Devon que es una idea espantosa?

—Él piensa que deberías darle una oportunidad. No digo que esté de acuerdo con él, pero realmente le gustas a Andrew —me dice levantando un hombro.

—Bueno, pero a mí realmente no me gusta —respondo mientras me acomodo en el asiento—. Guau. Eso sonó muy cruel.

Heather se detiene en el borde de la acera frente al *Breakfast Express*, un restaurante ambientado en la década de 1950 dentro de dos vagones de ferrocarril.

En uno de los vagones están las mesas y en el otro la cocina. Por debajo, ambos se encuentran sujetos a rieles de verdad sobre tirantes de madera astillada. Lo mejor de todo es que solo sirven el desayuno durante todo el día.

Antes de apagar el motor del automóvil, Heather mira los vagones del tren por mi ventanilla.

—Mira, no iba a rechazar venir aquí porque sé lo mucho que te gusta.

—Está bien —le digo sin estar segura de qué se trata todo esto—. Si prefieres ir a algún otro lugar…

—Pero antes de entrar —me interrumpe—, debes saber que Caleb trabaja aquí —espera unos segundos para ver mi reacción y sabe que no puede esperar nada bueno.

—Oh.

—No sé si estará trabajando hoy, pero es muy probable que sí —agrega—. Entonces, trata de entender cómo te sentirás.

A medida que me acerco a la escalera del vagón, mi corazón comienza a latir cada vez más fuerte. Sigo a Heather mientras sube por la escalera y abre la puerta roja de metal.

Al entrar, veo gran cantidad de discos de vinilo junto a muchas fotografías de series y películas clásicas que cubren todas las paredes. A cada lado del pasillo, hay numerosas mesas para no más de cuatro personas y cojines rojos de plástico salpicados con pequeños destellos plateados. En este momento, solo tres mesas se encuentran ocupadas.

–Tal vez no se encuentre aquí hoy –digo para tranquilizarme–. Quizás es su día…

Antes de que pueda terminar de decir la frase, la puerta de la cocina se abre y aparece Caleb vestido con una camisa blanca abrochada hasta el cuello, pantalones oscuros y un gorro de papel muy gracioso. Lleva una bandeja con dos platos de desayuno a una de las mesas y los coloca frente a cada una de las personas sentadas. Hace a un lado la bandeja y comienza a caminar hacia nosotras. Cuando se acerca, parpadea al vernos y alterna su mirada entre Heather y yo. Puedo ver que su sonrisa aparece con miedo, pero, al menos, está presente.

Rápidamente, guardo las manos dentro de los bolsillos de mi abrigo.

–Caleb, no sabía que trabajabas aquí.

Toma dos menús de un mueble detrás de Heather y su sonrisa se desvanece de a poco.

–¿Hubieras venido de saberlo?

No sé qué responder.

–Este era su lugar favorito cuando era niña –interviene Heather.

–Es verdad –agrego–. Los mini *hotcakes* eran mis favoritos.

–No hace falta aclararlo –dice Caleb mientras camina por el pasillo.

Lo seguimos hasta una mesa en uno de los extremos del vagón. Al igual que las demás mesas que pasamos, esta tiene su propia ventanilla rectangular con vista a la calle en donde estacionamos el automóvil.

–Esta es la mejor mesa de todo el vagón –dice mientras nos sentamos una enfrente de la otra.

–¿Qué es lo que la hace tan buena? –le pregunto.

–Está cerca de la cocina –dice sonriendo–. De este modo, les servirán más rápido lo que ordenen, y, además, me permite hablar más tiempo con personas que conozco.

Al escuchar eso, Heather toma el menú y comienza a leerlo. Sin levantar la vista, desliza el otro hacia mí. No sé si su intención fue advertirme que no le dé mucha importancia a lo que dice Caleb o qué, pero eso pareció.

–En caso de que te aburras, estaremos aquí –le aviso a Caleb.

Mira a Heather y ella parece sumamente ocupada en elegir nuestro desayuno. Al ver que nadie habla por varios segundos, Caleb asiente y desaparece detrás de la puerta de la cocina.

Le saco de las manos el menú a Heather y lo apoyo sobre la mesa.

—¿Qué rayos fue eso? Estoy segura de que ahora sabe que fuiste tú la que me contó el rumor, que ni siquiera tú sabes si es real o no.

—No sé *cuánto* de ese es verdad —me dice—. Lo siento, es que no sabía qué decir. Estoy preocupada por ti.

—¿Por qué? ¿Porque creo que es lindo? Por lo visto, eso es lo único que tiene a su favor.

—Pero él está interesado en ti, Sierra. Lo cruzo todos los días en la escuela y nunca es tan conversador como lo es contigo. Y eso está bien, pero tú no tienes que ser tan obvia y coquetear apenas...

—¡¿Qué?! —exclamo sorprendida, incorporándome de un salto—. En primer lugar, no fui obvia en ningún momento. En segundo lugar, ni siquiera lo conozco, no tienes por qué preocuparte.

Heather toma el menú otra vez, pero se nota que no lo está leyendo.

—Esto es lo que sé sobre Caleb —le comento—. Trabaja en una cafetería y compra muchos árboles. Y como probablemente lo siga viendo, eso es todo. No necesito verlo más que eso y no quiero saber más que eso. ¿Está bien?

—Está bien, lo entiendo —señala Heather—. Lo siento.

–Bien –me vuelvo a sentar–. Entonces puedo disfrutar de mi desayuno sin tener un nudo en el estómago.

–Esas cosas te *causarán* un nudo en el estómago –me dice sonriendo a medias.

Tomo el menú y lo ojeo aunque ya sé lo que ordenaré. De este modo, puedo mirar alrededor mientras aparento estar concentrada.

–Además, sea lo que sea que haya ocurrido, se está lastimando a él mismo.

Heather estampa el menú contra la mesa.

–¿Hablaste con él sobre eso?

–No tuvimos oportunidad –le respondo–, pero puedo darme cuenta por las actitudes que tiene.

Veo que Heather gira para observar la puerta cerrada de la cocina. Cuando voltea hacia mí, se lleva las manos a la cabeza.

–¿Por qué las personas son tan complicadas?

Me río al escucharla.

–Tienes razón, sería mucho más fácil si fueran como nosotras.

–Bueno, antes de que regrese –señala Heather–, esto es todo lo que sé. Y es solo de lo que estoy segura, nada de rumores.

–Perfecto.

–Nunca he sido amiga de Caleb, pero siempre fue muy amable conmigo. Tal vez oculta algo, o lo ocultó en el pasado, pero nunca lo he visto.

–Entonces, no seas tan fría con él –le reprocho.

–No fue mi intención –se acerca y coloca sus manos sobre las mías–. Solo quiero que te diviertas mientras estás aquí, pero no se puede hacer mucho con un chico que carga más peso que un avión Jumbo.

La puerta se abre y aparece Caleb con una pequeña libreta y un lápiz. Se detiene a un lado de la mesa.

–¿Están tomando empleados aquí? –pregunta Heather.

–¿Estás buscando empleo? –dice Caleb y baja la libreta.

–No, pero Devon necesita un trabajo –le contesta–. Se niega a buscar uno por su cuenta, pero creo que animaría un poco más su vida.

–Tú eres la novia –le digo riendo–. ¿Ese no es *tu* trabajo?

Heather me patea por debajo de la mesa.

–¿O estás intentando deshacerte de él? –pregunta Caleb.

–Nunca dije eso –responde rápidamente Heather.

–Cuanto menos sepa, mejor. Pero le preguntaré a mi jefe cuando lo vea –dice Caleb riendo.

Heather le agradece y él voltea hacia mí.

–Si quieres ordenar chocolate caliente, debo comunicarte que no tenemos bastones de caramelo, y puede que no sea de tu gusto.

–Un café vendrá bien –le pido–. Pero con mucha crema y azúcar.

–Yo ordenaré un chocolate caliente –señala Heather–. ¿Puedes agregarle extra de malvaviscos?

Caleb asiente con la cabeza.

–Enseguida regreso.

Una vez que se aleja y no puede oírnos, Heather se acerca hacia mí.

–¿Oíste eso? Quiere saber tus gustos.

–Es mesero –le contesto y me inclino hacia ella–. Ese es su trabajo.

Cuando Caleb regresa, trae una taza con una cantidad exagerada de malvaviscos. Al colocarla enfrente de nosotras, algunos caen sobre la mesa.

–No te preocupes, enseguida traigo el café –comenta.

La puerta en el extremo del vagón se abre y Caleb voltea para ver quién acaba de entrar. Puedo ver en su mirada señales de sorpresa y felicidad. Volteo y veo a una madre con sus dos hijas mellizas, de unos seis años, sonriéndole a Caleb. Las niñas son delgadas y ambas visten sudaderas con capucha, muy estiradas en los puños y un poco grandes. Una de ellas lleva consigo un dibujo a crayón de un árbol de Navidad lo suficientemente grande como para que Caleb lo vea.

–Regreso en un momento –murmura y se dirige hacia las niñas, quienes le entregan el dibujo–. Es muy lindo. Gracias.

–Se parece al árbol que nos regalaste –le comenta una de las niñas.

–Ahora está todo decorado –agrega la otra–. Es igual a este.

Caleb observa el dibujo detenidamente.

–No recuerdan la última vez que tuvieron un árbol –añade la madre al acomodarse el bolso en el hombro–. Apenas recuerdo haber tenido uno para mí. Cuando regresaron a casa de la escuela y vieron el árbol, sus rostros… simplemente…

–Gracias por esto –dice Caleb y se lleva el dibujo directo a su pecho–. Ha sido un placer.

La madre exhala un suspiro.

–Las niñas querían agradecértelo en persona.

–También rezamos por ti –añade una de las mellizas.

Caleb hace una pequeña reverencia hacia ellas.

–Eso significa mucho.

–Cuando nos comunicamos con el comedor, un señor nos comentó que te encargas de todo eso por tu propia cuenta –añade la mamá–. Nos dijo que trabajas aquí y que no te molestaría que pasáramos.

–Bueno, estaba en lo cierto. En realidad… –se hace a un lado y señala una de las mesas más cercanas–. ¿Les gustaría un chocolate caliente?

Las niñas se exaltan de felicidad, pero la mamá interviene.

–No podemos quedarnos. Nosotros…

–Entonces se los prepararé para llevar –la interrumpe Caleb. Al ver que la señora no se niega, comienza a caminar en nuestra dirección y yo volteo hacia Heather.

–Entonces, ¿para eso compra todos esos árboles? ¿Para dárselos a familias que ni siquiera conoce? –pregunto en voz baja al ver que Caleb ingresa a la cocina.

–¿No te mencionó nada de eso cuando los compró? –pregunta Heather.

Por un momento, me quedo observando los automóviles a través de la ventana. Recuerdo no haberle bajado el precio al primer árbol que compró y estoy segura de que el Sr. Hopper tampoco lo hizo. Pero aquí lo tenemos, trabajando en una cafetería y comprando árbol tras árbol. No estoy segura de dónde debo guardar toda esta nueva información porque no coincide en nada con la historia que me habían contado.

Al regresar de la cocina, Caleb lleva, en una mano, un portavasos con las tres bebidas calientes y, en la otra, mi taza de café, la cual deja frente a mí antes de continuar hacia la familia. Tomo la taza y miro fijo a Heather mientras saboreo el café, que tiene la proporción justa de crema y azúcar.

Finalmente, Caleb regresa a nuestra mesa y se detiene a nuestro lado.

–¿El café está bien? –pregunta–. Lo tuve que mezclar en la cocina porque sino no habría podido traer las tres bebidas y tu café con la crema y el azúcar a la vez.

–Está perfecto –le respondo. Por debajo de la mesa, Heather me golpea con su pie. Cuando me mira, cuidadosamente muevo la cabeza hacia un lado con la intención de que se corra para que él se pueda sentar. Si yo lo invito a Caleb a que se siente al lado mío, sería muy evidente que estoy interesada en él. En cambio, si lo hace

Heather, luego de haberle dicho que está con Devon, se interpretaría como un simple gesto de amistad.

–Toma asiento, chico de los árboles –le dice Heather mientras se hace a un lado.

Caleb se muestra sorprendido por la propuesta, pero acepta. Antes de sentarse, mira rápidamente a las otras mesas.

–Tú sabes –comienza Heather–, hace tiempo que alguien no me regala un dibujo a crayón de un árbol de Navidad.

–Realmente, no me lo esperaba –añade Caleb. Coloca la ilustración en el centro de la mesa y la voltea para que la pueda ver–. De verdad, es muy buena, ¿no les parece?

Observo la pintura con detenimiento y levanto la mirada hacia él, que todavía se encuentra con los ojos sobre el dibujo.

–Caleb, tú sí que eres multifacético.

–Estoy tratando de entender si de verdad has usado la palabra *multifacético* en una frase –me dice sin levantar la vista del papel.

–No sería la primera vez que la usa –agrega Heather.

–Pero, seguramente, es la primera persona en utilizarla dentro de esta cafetería –le responde Caleb mientras la mira.

–Ustedes, sí, ustedes dos, son unos ridículos –les resalto–. Heather, dile que tú también has utilizado la frase *echar un ojo* en una frase. Son solo tres palabras.

–Claro que... –se detiene y dirige la mirada hacia Caleb–. No, pensándolo bien, nunca la he utilizado.

Ambos chocan puños y me levanto para sacarle a Caleb el absurdo gorro de papel que tiene en la cabeza.

–Debería empezar a utilizar palabras más interesantes, señor. Y cómprate un peine.

–Devuélveme el gorro o si no la próxima vez que compre un árbol de tu lote, te pagaré con billetes de un dólar, todos desordenados.

–Bien –le digo aún con el gorro fuera de su alcance.

Caleb se pone de pie y estira su mano para sacármelo, y, al final, se lo devuelvo. Se coloca de nuevo el objeto totalmente fuera de onda sobre su cabeza.

–Si en verdad nos compras otro árbol, no esperes ningún dibujo –agrego–. Hoy me puedes encontrar en el lote a partir del mediodía hasta las ocho de la noche.

Heather me mira sorprendida y noto que aparece una pequeña sonrisa en su rostro. Caleb se aleja para atender a los demás clientes.

–Básicamente, le acabas de decir que pase a verte.

–Lo sé –le respondo levantando mi taza con tranquilidad–. *Esa* fui yo coqueteando.

Llego al trabajo una hora antes de lo que mamá me había pedido, lo cual es una buena idea. El lote está colmado de personas y en la puerta hay un camión con árboles de nuestra granja. Me coloco los guantes de trabajo y subo por una escalera a la parte trasera del vehículo. Una vez allí, me muevo con cuidado entre los árboles recubiertos con una red y recostados uno arriba del otro. Puedo sentir el roce de las ramas húmedas en la parte inferior de mi pantalón. Seguramente llovió durante la mayor parte del viaje, lo que hace que se desprenda un aroma que me recuerda a mi hogar.

Me acompañan otros dos empleados, que también se mueven con mucho cuidado para evitar quebrar las ramas. Enlazo mi mano en la red y deslizo el árbol hacia el borde de la plataforma, donde otro chico se encarga de tomarlo y llevarlo hacia la parte trasera de la Administración.

Andrew toma el siguiente árbol y, en lugar de llevarlo por su cuenta, se lo entrega a otro de los muchachos.

−¡Ya lo tenemos! −grita desde abajo y aplaude dos veces.

Estaba por decirle que esto no es una carrera, pero llega papá y coloca una mano sobre su hombro.

−Necesito que alguien revise los baños, en seguida −le ordena−. Y hazme saber si crees que necesitan una limpieza más profunda. Eso lo decides tú.

Al notar que mis músculos pierden fuerza, me tomo un momento para estirar la espalda y recuperar el aliento. Incluso cuando uno está exhausto, es difícil borrar la sonrisa del rostro al ver lo que ocurre en el lote. Los clientes se mueven entre los árboles con una expresión de felicidad que es visible, incluso, desde aquí arriba.

He estado rodeada por esas miradas toda mi vida. En este momento, me doy cuenta de que las personas que tengo a la vista son aquellos que *tendrán* un árbol de Navidad. Pero hay muchas otras familias que, por mucho que lo deseen, no pueden pagar un árbol. En esos casos, Caleb es quien se encarga de comprárselos.

Me llevo las manos a la cintura y giro de un lado a otro. A lo lejos, más allá del lote y de la última casa de la ciudad, la cima de los *Cardinals Peak* se eleva en el cielo azul, y recuerdo que es allí donde se encuentran mis árboles, imposibles de ver desde aquí.

Papá sube por la escalera para ayudarme a empujar los árboles. Luego de bajar algunos, me mira y coloca sus manos en las rodillas.

–¿Crees que fui muy grosero con Andrew? –me pregunta.

–No tienes por qué preocuparte –le respondo–. Él sabe muy bien que no estoy interesada.

Papá baja otro árbol y puedo notar que esboza una sonrisa de tranquilidad.

–Creo que aquí todos saben que estoy fuera de su alcance –le digo al observar a los demás empleados del lote.

Se incorpora y limpia sus manos húmedas contra sus pantalones.

–Cariño, ¿crees que somos muy conservadores?

—No en Oregon –le digo al bajar otro árbol–. Pero ¿aquí? No creo que se sientan muy cómodos con la idea de que salga con alguien.

Sujeta otro árbol, pero se detiene antes de deslizarlo por la plataforma.

—Lo que ocurre es que entiendo lo fácil que puede ser interesarse en alguien en tan poco tiempo. Créeme, desprenderse de eso no es algo muy simple de hacer.

Bajo otros dos árboles antes de darme cuenta de que me está mirando fijo.

—Está bien –le contesto–. Lo entiendo.

Una vez que terminamos de bajar todos los árboles, papá se quita los guantes y los guarda en su bolsillo trasero para dirigirse a la caravana a descansar. En cambio, yo me encamino hacia la Administración para atender a los clientes. Me comienzo a hacer un moño en el cabello cuando, de pronto, veo a Caleb en el mostrador vestido con ropa informal.

En ese momento, me suelto el cabello y dejo que caiga sobre mis hombros con algunos mechones sobre mi rostro.

Paso a su lado y me detengo detrás del mostrador.

—Hola de nuevo, ¿otra vez aquí para hacer feliz a una familia?

—Es lo que hago –me dice con una sonrisa.

Le señalo con la cabeza la mesa de las bebidas para que nos dirijamos hacia allí. A un lado de mi taza de Pascuas, coloco un vaso descartable para él y abro un paquete de cacao en polvo.

—Entonces, dime, ¿cómo fue que empezaste a hacer esto de los árboles?

—Es una larga historia —me dice y su sonrisa se desvanece un poco—. Si quieres una versión resumida, la Navidad siempre fue muy importante para mi familia.

Ya sé que su hermana no vive más con él; tal vez, eso sea parte de la *versión no resumida* de la historia. Le entrego el vaso de chocolate caliente con un bastón de caramelo para mezclar. Su hoyuelo reaparece al ver mi taza de Pascuas y ambos tomamos un sorbo mientras nos miramos a los ojos.

—Mis padres nos permitían a mi hermana y a mí comprar el árbol que quisiéramos —agrega—. También, invitaban a algunos amigos a nuestra casa y lo decorábamos juntos, cocinábamos chili con carne y salíamos a cantar villancicos. Suena muy cursi, ¿verdad?

Le señalo los árboles recubiertos con nieve artificial.

—Mi familia *sobrevive* gracias a ese tipo de tradiciones cursis. Pero eso no explica por qué los compras para otras personas.

—La iglesia a la que asisto organiza estas salidas de "servicio comunitario" durante las vacaciones —añade luego de tomar otro sorbo de su vaso—. Nos encargamos de recolectar abrigos o cepillos de dientes para aquellas familias que lo necesiten. Es maravilloso. Pero, a veces, siento que es mucho mejor poder darles algo más que solo las necesidades básicas.

—Suena muy bien —le comento.

Sopla el borde de su vaso para enfriar la bebida.

—Mi familia ya no vive las fiestas de la forma en que lo hacíamos antes. Ahora solo colocamos un árbol de Navidad y eso es todo.

Me gustaría preguntarle por qué, pero estoy segura de que eso es parte de la versión completa.

—En resumen, cuando comencé a trabajar en el *Breakfast Express* me di cuenta de que podía gastar el dinero de las propinas en árboles de Navidad para aquellas familias que no pueden comprarlos —mezcla su bebida con el bastón de caramelo—. Si tan solo pudiera conseguir más propinas, me verías más seguido por aquí.

Siento cómo un malvavisco se desliza hacia mi boca cuando tomo otro sorbo de la taza.

—Quizás podrías intentar colocar un frasco por separado —le sugiero—. Puedes dibujarle un pequeño árbol y escribir una nota que explique en qué se gastará el dinero.

—Lo pensé —me contesta—. Pero siento que disfruto más al saber que es mi propio dinero. Me sentiría mal si ese dinero extra proviniera de una organización de caridad que se encarga de entregarles a las personas lo que realmente necesitan.

Coloco mi taza sobre el mostrador y le señalo su cabello.

–Ya que estamos hablando de las cosas que necesitan las personas, aguarda un momento –me dirijo a toda prisa detrás del mostrador y tomo una pequeña bolsa de papel. Se la entrego y levanta sus cejas sorprendido.

Sujeta la bolsa y comienza a reír fuerte cuando toma de su interior un peine púrpura que compré en la farmacia.

–Es hora de que empieces a derribar esos defectos –le digo, entusiasmada.

Guarda el peine en su bolsillo trasero y me agradece.

Antes de que pueda decirle que se suponía que debía usarlo en su cabello, la familia Richardson aparece en la Administración.

–¡Ya me estaba preguntando cuándo vendrían! –exclamo y les doy un abrazo al Sr. y Sra. Richardson–. ¿Acaso no suelen comprar su árbol al día siguiente de Acción de Gracias?

Los Richardson son una familia de ocho integrantes que compran sus árboles aquí desde que tenían solo dos hijos. Cada año, traen consigo una lata repleta de galletas caseras y conversan conmigo mientras los niños discuten sobre qué árbol es mejor. En esta ocasión, los chicos me saludan antes de dirigirse a toda prisa a buscar el árbol ideal.

–Tuvimos un inconveniente con nuestro automóvil camino a Nuevo México –me dice el Sr. Richardson–. Pasamos el Día de Acción de Gracias en un motel mientras esperábamos que llegara el repuesto para el automóvil.

–Gracias a Dios que tenían una piscina en ese lugar, si no los niños se hubieran vueltos locos –agrega la Sra. Richardson al entregarme la lata de galletas de este año pintada con copos de nieve azules–. Esta vez, intentamos una nueva receta. La encontramos en internet y todo el mundo asegura que es deliciosa.

Retiro la tapa y tomo una galleta con forma de muñeco de nieve un poco desproporcionado recubierta con gran cantidad de glaseado y chispas de colores. Caleb se acerca y le ofrezco la lata, de la cual toma una galleta con forma de un reno mutante con dientes de conejo.

–Los niños ayudaron este año, como se habrán dado cuenta –aclara el Sr. Richardson.

Hago un sonido de placer al darle la primera mordida.

–Oh Dios… mmm… ¡Son deliciosas!

–Disfrútenlas mientras puedan –agrega la Sra. Richardson–, porque el próximo año volveré a la receta *Pillsbury*.

Caleb atrapa unas pequeñas migas que caen de su boca.

–¡Estas son increíbles!

–Una señora en el trabajo nos sugirió que les pongamos un poco de menta –añade el Sr. Richardson–. Dice que ni siquiera los niños las podrían arruinar –trata de tomar una galleta de la lata, pero la Sra. Richardson lo sujeta por el codo y le desvía el brazo.

Caleb se estira para tomar otra galleta y lo miro fijo a los ojos.

–¡Oye! Estás excediendo tu ración –estoy muy segura de que le encantaría burlarse de mí por usar la palabra *ración* y es muy gracioso ver cómo se resiste, pero, al parecer, prefiere seguir comiendo galletas.

–Come todo lo que quieras –comenta entusiasmada la Sra. Richardson–. Puedo darles a ti y a tu novio la receta y…

El Sr. Richardson la toma por el brazo al escuchar la palabra *novio*. Esbozo una sonrisa para hacerle saber que no hay problema. Igualmente, uno de sus hijos se encuentra gritando afuera.

La Sra. Richardson suspira al escucharlo.

–Ha sido un placer verte de nuevo, Sierra –me dice.

Su esposo nos saluda antes de marcharse y, una vez afuera, se lo escucha gritar.

–¡Santa puede verte, Nathan!

Caleb se roba otra galleta y la coloca rápidamente en su boca.

–Santa puede verte, Caleb –le digo y lo señalo con un dedo.

Levanta sus manos con inocencia y se encamina directo a la mesa de las bebidas para tomar una servilleta y limpiar su boca.

–Deberías acompañarme a entregar los árboles esta noche –me propone.

Casi me ahogo con mi galleta al escuchar eso.

Arroja la servilleta con migas a un bote de basura verde.

–No es necesario que vengas si…

–Me encantaría ir –le respondo–. Pero esta noche trabajo.

Me mira a los ojos sin expresión alguna en su rostro.

–No es necesario que inventes excusas, Sierra. Sé sincera conmigo.

Me acerco hacia él.

–Trabajo hasta las ocho de la noche. Ya te lo había mencionado, ¿recuerdas?

–¿Será siempre así?

Logro ver que se muerde el labio superior y dirige la mirada hacia otro lado.

–Sé que hay ciertas cosas de las que deberíamos hablar –añade–, pero todavía no es el momento indicado, ¿está bien? Solo, si puedes, no creas todo lo que te digan.

–Otro día *sí* iré, Caleb. ¿Está bien? Muy pronto –espero que vuelva la mirada hacia mí–. A menos que *tú* no quieras que vaya.

Toma otra servilleta para limpiarse las manos.

–Claro que quiero. Pienso que te podría gustar mucho.

–Bien –le contesto–, porque significa mucho para mí que tú quieras que vaya.

Noto que intenta suprimir una sonrisa, pero su hoyuelo lo delata.

–Tú eres quien se encarga de cultivar los árboles. Mereces ver lo que produce en estas familias.

Sacudo el bastón de caramelo directo a los árboles.

–Puedo verlo todos los días.

–Es diferente –me responde.

Mezclo mi bebida con el bastón y me concentro en el remolino que se forma. Presiento que esto será algo más que solo dos personas pasando el rato. Se siente como si me estuviera invitando a salir. Si fuera así, sin importar si se trata de algo relacionado con los árboles o no, una parte de mí diría que sí. Pero ¿cuánto sé realmente de su vida? Él parece saber aún menos de la mía.

Saca su peine y lo agita frente a mí.

–No lo voy a utilizar hasta que no me digas una fecha exacta.

–Oye, eso es jugar sucio –le señalo–. Déjame pensar. Esta semana estaremos muy ocupados aquí y estaré muy cansada después del trabajo. ¿Podemos ir el lunes cuando ya hayamos terminado la escuela?

Levanta la mirada, como si estuviera revisando su agenda en la cabeza.

–No trabajo ese día. ¡Me parece perfecto! Te pasaré a buscar después de cenar.

Salimos juntos de la Administración y decido mostrarle algunos de mis árboles favoritos. Me aseguraré de que se lleve el mejor árbol, sin importar la cantidad de dinero que esté dispuesto a gastar. Nos encaminamos hacia un abeto balsámico que siempre me gustó, pero, de pronto, veo que se dirige al estacionamiento.

Me detengo y le pregunto.

–¿A dónde vas?

Voltea y me mira.

–No tengo dinero para comprar un árbol en este momento –me dice con una sonrisa amigable, pero traviesa–.
Ya tengo lo que quería.

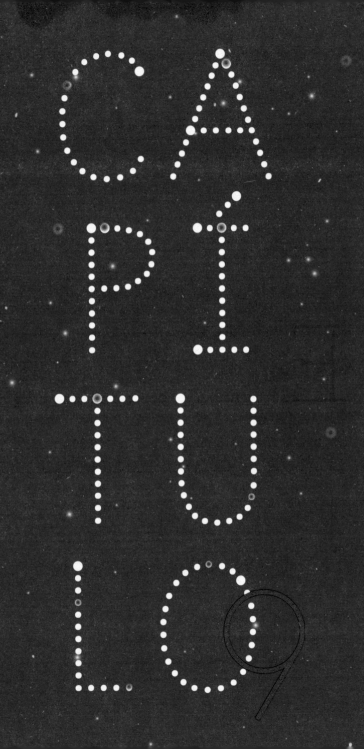

CAPITULO 9

El domingo por la noche, el trabajo se calma en el lote y me dirijo a la caravana para hablar con Rachel y Elizabeth. Abro mi laptop y corro las cortinas del lado de la mesa para estar atenta en caso de que me necesiten afuera. Al ver a mis amigas en la pantalla, empiezo a sentir un poco de tristeza por estar tan lejos. Sin embargo, luego de unos minutos, me estoy riendo cuando Rachel describe cómo su profesor de Español intentó enseñarles a hacer empanadas.

–Parecían discos de hockey calientes –comenta–. ¡No estoy mintiendo!

–Las extraño mucho chicas –les digo inclinándome para tocar sus rostros en la pantalla y ver que ellas también lo hacen.

–¿Cómo está todo? –pregunta Elizabeth–. No es por ser molesta, pero ¿tienes noticias sobre el próximo año?

–Bien, algo pude hablar –les cuento–. Mis padres de veras quieren que todo siga en pie, pero por el momento, no sé si podremos salir adelante. Estoy segura de que eso las pondrá un poco contentas, sin embargo…

–No –me interrumpe Elizabeth–. No importa lo que pase, siempre tendrá un sabor agridulce.

–Nunca querríamos que el lote deje de funcionar –agrega Rachel–, pero estaríamos muy felices de tenerte aquí con nosotras.

Miro por la ventana y solo puedo ver a tres clientes entre los árboles.

–Se siente como si no estuviéramos tan ocupados como el año pasado –señalo–. Mis padres revisan las ventas todas las noches, pero me da miedo preguntarles.

–Entonces, no lo hagas –sugiere Elizabeth–. Que pase lo que tenga que pasar.

Tiene razón, pero cada vez que termino de trabajar y me marcho para hacer las tareas de la escuela o tan solo para descansar, me pregunto si podría ayudar con algo más en el lote. Perder este lugar sería muy difícil para mí, pero, en especial, para papá.

Rachel se acerca a la pantalla.

–Okey, ¿mi turno? No se imaginan las tonterías con las que debo lidiar por el baile de invierno. ¡Son todos unos novatos! –nos cuenta que envió a dos chicos de primer año a comprar lo necesario para armar copos de nieve y que volvieron solo con brillantina.

—¿Eso es todo? –pregunto.

—¡Brillantina! ¿No se dieron cuenta de que necesitábamos *algo* para pegar la brillantina? ¡No la tiraremos en el aire así sola!

Imagino estar en un baile como ese. Los estudiantes vestidos de gala arrojándose brillantina entre ellos al bailar. Cascadas brillantes por todos lados, iluminadas por la luz del lugar. Rachel y Elizabeth se ríen mientras giran con los brazos abiertos. Y Caleb con la cabeza hacia atrás y los ojos cerrados sonriendo.

—En fin… conocí a alguien –les comento–. O algo parecido.

Se quedan en silencio por varios segundos y parece una eternidad.

—¿Quieres decir un chico? –pregunta Rachel.

—En este momento, solo somos amigos –les digo–. O eso creo.

—¡Mira cómo te sonrojas! –señala Elizabeth.

Me tapo el rostro con las manos al oír eso.

—No lo sé, quizás no sea nada. Tú sabes, él…

—¡No! No-no-no-no-*no* –me interrumpe Rachel–. No tienes permitido enumerar todo lo que tiene de malo. No cuando estás en modo "enamorada".

—No soy así todo el tiempo. ¡No lo soy! Es un chico súper dulce que regala árboles de Navidad a aquellas personas que no pueden comprar uno.

—Pero… –me dice Rachel cruzándose de brazos.

–Ahora es cuando se pone exigente –agrega Elizabeth.

Las miro a ambas en los pequeños cuadros en la pantalla y puedo notar que esperan que enumere los contras.

–Pero… puede ser que este chico súper dulce haya atacado a su hermana con un cuchillo.

Ambas abren la boca sorprendidas.

–O, tal vez, solo se lo haya arrojado –agrego–. No lo sé, no se lo he preguntado todavía.

Rachel se lleva un puño a la cabeza y hace una seña como si su cerebro hubiera estallado.

–¿Un cuchillo, Sierra?

–Puede que solo sea un rumor –le contesto.

–Es un rumor bastante serio –añade Elizabeth–. ¿Qué ha dicho Heather al respecto?

–Ella fue quien me lo contó.

Rachel se acerca a la pantalla de nuevo.

–Eres la persona más complicada que jamás conocí cuando se trata de conocer chicos. ¿Por qué pasa esto?

–Él sabe que escuché algo –les aclaro–, pero se rehúsa a contarme lo que sucedió cuando intento mencionar el tema.

–Tienes que preguntarle –me dice Elizabeth.

–Pero hazlo en un lugar público –agrega Rachel señalándome con un dedo.

Tienen razón, claro que tienen razón. Debo saber más antes de acercarme a él.

–Y hazlo antes de besarlo –añade Rachel.

Me río ante el comentario.

–Tendríamos que estar solos para que eso ocurra.

Abro mis ojos al recordar que sí estaremos solos mañana. Cuando Caleb salga de la escuela, lo acompañaré a entregar un árbol.

–Pregúntale –propone Rachel–. Si se trata de un malentendido, será una muy buena historia para contar cuando regreses.

–No me pienso enamorar de un chico solo para que tengas algo que contarles a tus amigos del teatro –le aclaro.

–Sigue tus instintos –añade Elizabeth–. Tal vez, Heather escuchó mal el rumor. ¿No tendría que estar en una especie de institución psiquiátrica si asesinó a su hermana?

–Nunca dije que la asesinó. No sé exactamente qué fue lo que ocurrió.

–¿Lo ves? –agrega–. Ya cambié todo el rumor.

–Tendré oportunidad de preguntárselo mañana –añado–. Entregaremos un árbol de Navidad juntos.

Rachel se reclina.

–Tú sí que tienes una vida extraña, amiga.

Aunque mamá y papá se encuentran cenando dentro de la casa rodante, puedo sentir que nos observan mientras nos dirigimos hacia la camioneta. Sus miradas sobre ambos, y

Caleb tan cerca de mí hacen que se sienta como la caminata más larga de mi vida.

Subo al asiento del acompañante y Caleb cierra la puerta de mi lado. En la parte trasera de la camioneta lleva un árbol de Navidad. Se trata de un abeto azul súper rebajado en precio (*lo siento, papá*) que entregaremos a quien sea que necesite un árbol. Desde que trabajo en el lote, temporada tras temporada, nunca tuve la oportunidad de ver dónde termina cada uno de nuestros árboles luego de venderlos.

—Les comenté a mis amigas sobre la distribución de árboles —le cuento—. Creen que es muy dulce de tu parte.

Comienza a reír mientras arranca la camioneta.

—Así que se dice *distribución* de árboles. Siempre creí que solo los entregaba.

—¡Es lo mismo! ¿Te seguirás burlando de las palabras que utilizo? —no le aclaré que me divierte que lo haga.

—Tal vez, adquiera algunas de tus palabras antes de que vuelvas a tu hogar.

Me inclino y le doy un pequeño empujón en el hombro.

—Deberías estar agradecido.

Sonríe y pone el vehículo en marcha.

—Supongo que dependerá de las veces que pueda verte.

Lo miro y, cuando logro entender lo que acabo de escuchar, siento una sensación de electricidad que cosquillea en mi espalda.

–¿Alguna idea de qué tan a menudo será eso? –me dice una vez que tomamos la carretera.

Desearía poder responderle, pero antes de planear nuestro futuro juntos, hay algunas cosas que necesito saber, pero preferiría que *él* las traiga a la conversación, como dijo que haría.

–Depende –le contesto–. ¿Cuántos árboles más entregarás este año?

Dirige la mirada hacia su ventanilla en la próxima salida y puedo ver su sonrisa reflejada en el espejo lateral.

–Al estar en época de vacaciones, la propina es muy buena, pero debo decir que, incluso con el descuento, los árboles siguen siendo algo costosos. Sin ánimos de ofender.

–Entiendo, pero no puedo hacerte un descuento muy grande. Creo que tendrás que valerte de tu encanto para conseguir más propinas en el trabajo.

Una vez que tomamos la carretera principal, nos encaminamos hacia el norte. A lo lejos en la oscuridad de la noche, se puede ver la silueta del *Cardinals Peak* como si fuera una inmensa pirámide.

–Te apuesto a que no sabías que planté seis árboles de Navidad allí arriba –le digo al señalarle la cima de la montaña.

Me mira por unos segundos y voltea la mirada hacia las oscuras y escalofriantes colinas.

–¿Tienes una granja de árboles de Navidad en el *Cardinals Peak*?

–No es exactamente una granja –le aclaro–, solo he estado plantando un árbol por año allí arriba.

–¿De verdad? ¿Cómo se te ocurrió una idea como esa? –me pregunta.

–Se remonta a cuando tenía tan solo cinco años.

Activa la luz de giro y mira sobre su hombro antes de tomar la próxima calle.

–No te detengas, quiero la historia completa –me dice mientras las luces de los demás automóviles iluminan su sonrisa curiosa.

–Está bien –me sujeto del cinturón–. Todo comenzó en Oregon a la edad de cinco años cuando planté un árbol con mi mamá. Antes de eso, ya había plantado decenas de árboles, pero este lo ubicamos separado del resto. También, colocamos una cerca a su alrededor y ese tipo de cosas. Seis años más tarde, cuando ya tenía once años, lo talamos y lo donamos a la sala de maternidad del hospital de la zona.

–Oye, bien por ti –añade.

–No se compara con lo que tú haces, Sr. Caridad –replico–. Cada Navidad, mis padres les regalan un árbol en muestra de agradecimiento por haberlos ayudado con mi nacimiento. Aparentemente, me llevó mucho tiempo aceptar ser parte de este mundo.

–Mi mamá dice que mi hermana también fue exigente para venir al mundo –agrega Caleb.

–Mis amigas se pondrán muy contentas cuando sepan que me acabas de describir de esa manera.

Me mira confundido para que le explique, pero de ninguna manera lo haré.

–En fin, ese año decidimos regalarles un árbol exclusivamente de mi parte. En ese entonces, la idea me pareció fantástica, pero luego de seis años de cuidado intensivo al árbol durante toda su vida, y por casi toda *mi* vida, al cortarlo lloré como nunca. Mi mamá dice que me arrodillé junto al tronco y estuve allí por una hora.

–*Aw*, ¡qué tierno! –me dice Caleb.

–Si te gustan las historias tristes, espera a que te diga que el árbol también lloró. O algo parecido –le comento–. A medida que los árboles crecen absorben agua a través de sus raíces, ¿sí? Entonces, al cortarlos, las raíces eliminan el agua a través del tronco en pequeñas gotas de savia.

–¿Como si fueran lágrimas? –pregunta–. ¡Me parte el corazón!

–¡Lo sé!

Las luces de los automóviles iluminan la cabina de la camioneta y puedo ver una sonrisa burlona en su rostro.

–Pero, hay que admitirlo, te hace quedar poco sabia.

–Conozco todas las bromas sobre *savia* que se pueda imaginar, señor –le digo luego de suspirar.

Vuelve a accionar la luz de giro y toma la primera salida. Es una curva muy cerrada, por lo que me tengo que sujetar con fuerza de la puerta.

–Por ese motivo, cortamos los troncos a solo tres centímetros del suelo antes de entregárselo a las personas –le cuento–. De esa manera, el árbol puede seguir absorbiendo agua, ya que no podría hacerlo si estuviera tapado con la savia.

–¿Eso significa que...? –se detiene antes de terminar la frase–. Oh, ya veo, es algo muy ingenioso.

–En fin –continúo con la historia–. Luego de llevar el árbol al hospital, papá me regaló un trozo de madera de la base. Una vez en mi cuarto, le dibujé un árbol de Navidad en uno de los lados y lo colgué en mi armario, y es ahí en donde se encuentra ahora mismo.

–Me encanta eso –comenta Caleb–. No recuerdo haber guardado algo que tenga tanto significado para mí. Pero ¿qué relación tiene eso con tu pequeña granja en la montaña?

–Entonces, al día siguiente, nos estábamos preparando para venir hasta aquí –agrego–. En realidad, apenas salíamos de casa y comencé a llorar otra vez. En ese momento, me había dado cuenta de que debería haber plantado otro árbol para reemplazar el anterior, pero no había tiempo para eso. Entonces hice que mi mamá me llevara al invernadero para tomar uno de los árboles más pequeños y guardarlo dentro de un balde en el asiento trasero.

–Y luego lo plantaste aquí –agrega.

–Así es. Desde ese entonces, cada temporada, traigo un árbol nuevo para plantar aquí. La idea es poder cortar aquel primer árbol el próximo año y regalárselo a la familia de Heather. Siempre les obsequiamos uno, pero este será mucho más especial –le termino de contar.

–Es una gran historia –señala.

–Gracias –al mirar por la ventanilla, veo varias casas humildes. Cierro los ojos y pienso muy bien lo que estoy a punto de decir.

–Pero ¿qué tal si… no lo sé… que tal si tú te encargas de regalarle ese árbol a alguien que realmente lo necesite?

Por varios segundos nos mantenemos en silencio. Finalmente, lo miro con la esperanza de ver una sonrisa honesta en su rostro. Le acabo de ofrecer que regale el primer árbol que planté en California, pero, a pesar de esto, sigue con la mirada sobre el camino, perdido en sus pensamientos.

–Pensé que te gustaría esta idea –agrego finalmente.

Parpadea y esboza una pequeña sonrisa al mirarme.

–Gracias –me contesta.

¿En serio? *Porque no se te ve muy feliz con la propuesta,* quería decirle.

Baja un poco la ventanilla y puedo ver cómo el viento juega con su cabello.

–Lo siento –me contesta–. Estaba imaginando tu árbol en la casa de algún extraño. Tú ya tienes planes para él y son muy buenos. No cambies eso solo por mí.

–Pero, tal vez, eso sea lo que quiero.

Caleb ingresa al estacionamiento de un complejo de edificios de cuatro pisos. Encuentra un espacio cerca de uno de los apartamentos y estaciona la camioneta.

–¿Qué te parece esto? Durante todo el año, me encargaré de encontrar a la familia ideal y, cuando regreses, se lo podremos entregar juntos.

Trato de no demostrar incertidumbre sobre el próximo año.

–Y, ¿qué tal si no quiero pasar el rato contigo el próximo año?

De pronto, su rostro se queda sin expresión y trato de remediar lo que dije. Esperaba recibir una respuesta sarcástica, pero, en su lugar, tengo que buscar una manera de corregir lo que acabo de decir.

–Lo que quiero decir es, ¿qué tal si te faltan todos los dientes el próximo año? Tú sabes, tienes esa adicción a los bastones de caramelo y al chocolate caliente…

–Déjame aclararte algo: me cepillo los dientes todos los días durante todo el año –me dice con una sonrisa al abrir su puerta. Por suerte, logro sacarme el peso de encima.

Abro mi puerta y me encamino hacia la parte trasera de la camioneta. La mayoría de las ventanas de los apartamentos está oscura y solo algunas de ellas tienen luces de Navidad a su alrededor. Una vez atrás, Caleb abre la cajuela y la calcomanía de la escuela *Sagesbrush Junior High* queda fuera de mi vista. Empieza a sacar el árbol y me acerco para ayudarlo.

–A eso llamo saber cuidar la higiene *y* el vocabulario –le señalo–. ¿Hay algo más con lo que te pueda ayudar?

Sonríe y asiente a medida que se dirige hacia la entrada del edificio.

–Por el momento, solo camina. Tendrías que despejar toda tu agenda para ayudarme.

Me coloco delante de él y llevamos el árbol hacia la entrada. Cierro los ojos y comienzo a reír al notar lo que estuve a punto de decir. Volteo y, de todas formas, lo digo.

–Considéralo hecho.

CAPÍTULO 10

El elevador es tan chico que tenemos que inclinar el árbol para que pueda caber dentro sin problemas. Caleb presiona el botón para subir al tercer piso y comenzamos a ascender. Una vez que la puerta se abre, me abro paso para salir primera del elevador y Caleb inclina el árbol hacia adelante para poder sacarlo entre los dos. Lo llevamos hasta la última puerta al final del pasillo y la golpea con su rodilla. Alrededor de la mirilla, hay un ángel de cartulina con la inscripción *Feliz Navidad*[1] probablemente, hecho por un niño pequeño.

Una señora robusta de pelo gris y con un vestido floreado abre la puerta.

—¡Caleb! —exclama sorprendida.

—Feliz Navidad, Sra. Trujillo —le contesta Caleb con el árbol en sus manos.

---

1. N. del T.: En español en el original.

—Luis no me dijo que vendrías. ¡Y con un árbol!

—Me pidió que sea una sorpresa —señala Caleb—. Sra. Trujillo, le presento a mi amiga Sierra.

La Sra. Trujillo parece estar preparada para darme un abrazo, pero se detiene al ver que mis manos todavía se encuentran ocupadas.

—Un gusto en conocerte —dice.

Una vez que entramos el árbol a su casa, alcanzo a ver que le guiña un ojo a Caleb y me señala con la cabeza, pero yo aparento no haber visto nada.

—El banco de alimentos me comentó que le encantaría tener un árbol —añade Caleb—, por eso, me aseguré de que reciba uno.

La señora se sonroja y le da unas palmadas en el brazo varias veces.

—Oh, eres muy dulce. ¡Tienes un corazón inmenso! —dice mientras arrastra los pies con sus pantuflas por la sala de estar y el comedor. Se inclina buscando por debajo del sofá y toma una base para colocar el árbol. Al hacerlo, el estampado de su vestido se estira a la altura de su abdomen.

—Todavía ni siquiera habíamos podido comprar un árbol artificial porque Luis está muy ocupado con la escuela. ¡Y ahora apareces tú y nos regalas un árbol de verdad!

Mientras sostenemos el árbol, la señora hace a un lado algunas revistas para colocar la base en una esquina de la sala. La escuchamos murmurar lo mucho que disfruta el aroma de los árboles.

Lo mira a Caleb, lleva las manos a su corazón y se da una palmada.

–Gracias, Caleb. Gracias, gracias, gracias.

Desde el otro extremo de la habitación podemos escuchar una voz.

–Creo que ya lo entendió, mamá.

Caleb saluda a un muchacho de nuestra misma edad, posiblemente Luis, que se asoma por el pasillo.

–Hola, amigo.

–¡Luis! Mira lo que nos trajo Caleb.

–Gracias por traerlo –contesta luego de mirar al árbol con una sonrisa incómoda.

–¿Tú asistes a la misma escuela que los chicos? –me pregunta la Sra. Trujillo con un leve toque en mi brazo.

–En realidad, yo vivo en Oregon –le contesto.

–Sus padres son los dueños del lote de árboles –agrega Caleb–. De allí proviene este.

–¿De verdad? –me mira–. ¿Estás entrenando a Caleb para que haga las entregas?

Luis comienza a reír y la Sra. Trujillo parece confundida.

–No –contesta Caleb y me mira–. En realidad, no. Nosotros…

–Adelante –lo miro fijo para que explique lo que realmente somos.

–Somos buenos amigos desde hace algunos días –aclara con una pequeña sonrisa en su rostro.

–Ya veo. Hago muchas preguntas. Caleb, ¿quieres llevar

un poco de turrón casero para tus padres? –le pregunta luego de levantar ambas manos.

–¡Claro que sí! –exclama Caleb como si le estuvieran ofreciendo un vaso de agua en medio del desierto–. Sierra, tienes que probar esto.

La Sra. Trujillo aplaude una vez.

–¡Sí! Tienes que llevarle un poco a tu familia también. Preparé mucho, y, más tarde, con Luis les llevaremos un poco a los vecinos.

Le ordena a Luis que le alcance algunas servilletas para darnos un trozo a cada uno. Luce como si fuera una barra de cereal con almendras. Tomo la porción y la muerdo. ¡Deliciosa! Lo miro a Caleb y compruebo que ya se devoró la mitad de su parte.

La Sra. Trujillo sonríe y guarda algunas porciones más dentro de unas viandas para que llevemos a nuestras casas. Cuando nos despedimos, le agradecemos otra vez por el turrón. Abre la puerta y le da un fuerte abrazo a Caleb, emocionada.

Esperamos el elevador con las bolsas de turrón en las manos.

–Entonces, ¿Luis es un amigo tuyo? –le pregunto a Caleb.

–Esperaba no pasar un momento incómodo –me contesta mientras asiente con la cabeza. La puerta del elevador se abre y, una vez dentro, apretamos el botón de la planta baja–. El banco de alimentos posee una lista de diferentes artículos para que las familias puedan elegir aquellos que necesitan. En algunas ocasiones, trato de preguntarles a las familias si les gustaría tener un árbol y es ahí cuando consigo su dirección. Cuando me topé con sus nombres, le pregunté a Luis si le parecía bien, pero…

—No parecía estar muy emocionado —acoto—. ¿Crees que se sintió avergonzado?

—Lo superará —me contesta Caleb—. Él sabía que su madre quería uno y, te lo aseguro, esa mujer es la persona más agradable del mundo.

La puerta del elevador se abre en la planta baja y Caleb se hace a un lado para que yo salga primero.

—Es agradecida todo el tiempo —añade—. Nunca juzga a nadie. Una persona así merece tener todo lo que desee de vez en cuando.

Una vez en la camioneta, retomamos la carretera y nos encaminamos hacia el lote.

—Entonces, ¿por qué haces esto? —le pregunto sobre los árboles con la intención de avanzar hacia temas más personales.

Maneja por un rato sin responder nada.

—Supongo que ahora es mi turno de hablar, ya que tú me contaste sobre tus árboles en las colinas —me responde finalmente.

—Sería lo correcto —afirmo.

—La razón por la que lo hago es similar a la razón por la que sé que Luis lo superará —confiesa—. Él sabe que lo que yo hago es sincero. Luego de que mis padres se divorciaran, yo estaba en la misma situación que los Trujillo. Mi mamá apenas ganaba dinero suficiente para comprarnos pequeños regalos y, ni mencionar, un árbol de Navidad.

Rápidamente, agrego toda esa información a una pequeña, pero creciente, lista de cosas que sé de su vida.

—¿Cómo está todo ahora? –pregunto.

—Mucho mejor. Ahora es jefa de sector en su trabajo y ya podemos volver a tener árboles. El primero que compré en tu lote era para nosotros –me mira por un momento y sonríe–. Mi mamá todavía no se entusiasma mucho por decorarlo, pero sabe que eso es una parte importante para salir adelante.

Recuerdo todos esos billetes de un dólar que tenía en su bolsillo en su primera visita al lote.

—Pero tú pagaste por el árbol.

—No del todo –se ríe–. Solamente me aseguré de conseguir uno grande.

Quería preguntarle sobre su hermana, pero me detengo al ver su perfil calmo con mirada sobre la carretera. Heather tiene razón, sea lo que sea que esté ocurriendo aquí, no tiene por qué durar hasta después de Navidad. Si disfruto estar con él, ¿por qué arruinarlo todo? Preguntarle eso solo provocaría que se cierre en sí mismo otra vez.

O, quizás, para ser honesta, yo no quiera saber la respuesta.

–Me alegra que hayamos podido hacer esto esta noche –agrego, sin ir más allá–. Gracias.

Esboza una pequeña sonrisa y prende la luz de giro para tomar la próxima salida.

Caleb me había mencionado que tal vez pasara por el lote en algún momento de la semana. Es entonces cuando veo su camioneta estacionada, pero me quedo dentro de la Administración en lugar de salir a saludarlo. No creo necesario que se entere de lo ansiosa que estaba porque llegue este momento. Me gusta pensar que no vino al día siguiente para ocultar, también él, su ansiedad.

Cuando considero que pasó un tiempo prudente, echo un vistazo hacia afuera y veo a Andrew discutiendo con él. Caleb se queda con la mirada fija en la distancia y lleva sus manos a los bolsillos de su abrigo. Puedo ver que Andrew le señala con un dedo nuestra caravana, donde papá se encuentra hablando con el tío Bruce, y Caleb cierra los ojos y afloja sus brazos. Finalmente, Andrew se vuelve hacia los árboles y puedo percibir su deseo de derribar uno.

Rápidamente, regreso al mostrador y, unos segundos más tarde, entra Caleb, que actúa con total normalidad, ya que no sabe que lo vi discutir con Andrew.

–Iba camino al trabajo –comenta y, por primera vez, me doy cuenta de que puede hacer aparecer su hoyuelo a voluntad–. Pero no podía pasar y no saludarte.

Unos minutos después, papá entra para guardar sus guantes de trabajo en el mostrador y rellenar su termo con café.

–¿De nuevo aquí para llevar otro árbol? –pregunta sin levantar la mirada.

–No, señor –responde Caleb–. No en este momento. Solamente paso para saludar a Sierra.

Una vez que termina de llenar su termo, papá voltea hacia Caleb.

–Siempre y cuando no te extiendas demasiado. Tiene mucho trabajo para hacer en el lote y, luego, para la escuela.

Papá le toca el hombro a Caleb al pasar y yo muero de vergüenza. Nos quedamos hablando por unos cuantos minutos más dentro de la Administración hasta que, finalmente, lo acompaño a su camioneta. Abre la puerta del conductor y, antes de subirse, me señala con la cabeza el afiche del desfile que colgué la primera vez que lo vi.

–Es mañana por la noche –me recuerda–. Estaré allí con unos amigos. Deberías ir también.

¿Debería ir? Me gustaría burlarme de él por no ser lo suficientemente valiente como para invitarme a salir.

–Lo pensaré –le respondo.

Una vez que se marcha, regreso a la Administración mirando al suelo y sonriendo.

Antes de poder llegar al mostrador, papá se interpone en mi camino.

–Sierra… –sabe que no quiero oír lo que está a punto de decir, pero es su deber hacerlo de todas formas–. Estoy seguro de que es un muchacho agradable, pero, por favor, piénsalo bien antes de empezar algo ahora. Estás ocupada y, además, en poco tiempo regresamos a casa y…

–No estoy empezando nada –lo interrumpo–. Es solo un amigo, papá. Deja de actuar tan raro.

Se ríe y toma un sorbo de su café.

–¿Por qué no vuelves a jugar a las princesas como antes?

–*Nunca* jugué a las princesas.

–¿Bromeas? –dice sorprendido–. Cada vez que la mamá de Heather te llevaba a uno de esos desfiles, te ponías el vestido más elegante como si fueras la Reina del Invierno.

–¡Exacto! Reina, no princesa. Me criaron para ser mucho más que eso –le aclaro.

Papá hace una pequeña reverencia como si estuviera frente a un miembro de la realeza y se retira hacia la casa rodante. Yo me encamino hacia la Administración y, una vez dentro, puedo ver a Andrew apoyado contra el mostrador.

Camino hacia él y hago a un lado los guantes de papá.

–¿De qué hablaron con Caleb allí afuera?

–Me di cuenta de que ha estado viniendo al lote muy seguido –me responde.

–¿Y? –me cruzo de brazos.

–Crees que es un muchacho maravilloso porque les compra árboles a las personas que más necesitan, pero no sabes nada de él –señala Andrew luego de mover la cabeza indignado.

Me gustaría decirle que es *él* quien no sabe nada de Caleb, pero la verdad es que, probablemente, sepa mucho más que yo. ¿Soy tonta por no haber hablado todavía con Caleb acerca del rumor?

–Si tu papá no quiere que ninguno de los empleados del lote te inviten a salir –agrega–, no hay manera de que acepte a alguien como Caleb.

–¡Basta! –exclamo–. Esto no tiene nada que ver contigo.

–El año pasado yo quedé como un idiota. Dejé esa nota estúpida en tu ventana cuando debería habértelo dicho cara a cara –al decir esto, baja la mirada.

–Andrew –digo con suavidad–, no se trata de mi padre, de Caleb ni de nadie. No hagamos que trabajar juntos sea más incómodo de lo que ya es, ¿está bien?

Me mira y muestra una expresión de furia en su rostro.

–No tienes que hacer esto con Caleb. Es ridículo siquiera pensar que ustedes dos pueden ser amigos. Él no es quien tú crees que es. No seas…

–¡Vamos, dilo! –grito. Si me llega a llamar estúpida, papá lo despedirá en cuestión de segundos.

Andrew se queda callado y se marcha enfadado.

CAPITULO 11

La noche del desfile, voy al centro con Devon y Heather. Su madre trabaja en el comité de organización del desfile y nos suplicó que llegáramos temprano. Una vez allí, nos acercamos a un toldo que dice *Registro* y nos entrega una bolsa con pulseras de evento y una planilla para anotar a los ingresantes. La mayoría de los grupos ya están inscriptos, pero cada año, aparecen nuevas formaciones y se olvidan del registro. Nuestro trabajo es encontrarlas y anotarlas.

–¿De verdad? ¿Es necesario hacer esto? –le pregunta con desgano Devon a Heather.

–Sí, Devon. Es una de las ventajas de ser mi novio. Si no te gusta… –hace un gesto para que se marche.

Sin dejarse intimidar por su comentario, Devon la besa en la mejilla.

–Perfecto –cuando se aparta de Heather, me mira y

sonríe sutilmente. Sí, es consciente de que a veces la hace enfadar.

—Antes de cruzarnos con alguien —añade Heather—, vayamos por un poco de café. Hace mucho frío aquí afuera.

Nos abrimos paso entre una bulliciosa tropa de chicos *boy scouts* y nos dirigimos hacia una cafetería a pocas cuadras del desfile. Heather envía a Devon dentro y se queda conmigo en la puerta.

—Tienes que decirle —le digo—. No les hará bien a ninguno de los dos si continúan prolongando esto.

Mueve la cabeza hacia atrás y suspira.

—Ya lo sé. Pero necesita sacar buenas notas este semestre. No quiero ser quien lo distraiga de eso.

—Heather…

—Soy la peor. ¡Lo sé! Lo sé —me mira a los ojos, pero luego desvía la mirada hacia atrás de mí—. Hablando de conversaciones que se tienen que dar, creo que aquel es Caleb.

Volteo hacia la acera de enfrente y veo a Caleb sentado en una parada de autobús junto a otros dos chicos. Uno de ellos parece ser Luis. Creo que será mejor esperar a que Devon salga con nuestros cafés antes de acercarme a saludarlo.

Un autobús se cruza en el camino y creo haber perdido la oportunidad. Una vez que arranca, puedo ver que Caleb y sus amigos todavía se encuentran sentados en el mismo lugar hablando y riendo. Caleb frota sus manos para calentarlas y las coloca en los bolsillos de su abrigo. Devon reaparece y me ofrece uno de los vasos de café, pero yo niego con la cabeza.

–Voy a cambiar mi pedido –les digo–. ¿Podrían encargarse del registro ustedes solos? Los veré más tarde.

–Claro –contesta Heather. Devon suspira, molesto por tener que continuar con el trabajo sin mi ayuda. Antes de que pueda decir algo, Heather lo mira fijo y lo interrumpe.

–¡Porque quiere! Por eso se marcha –le aclara.

Salgo de la cafetería con dos bebidas calientes en las manos y cruzo la calle, lentamente para no volcar el contenido de los vasos, directo a donde se encuentra Caleb. Unos metros delante de mí, un muchacho alto con un uniforme blanco para el desfile baja de un automóvil, seguido de una chica un poco mayor vestida de porrista con el logo de los Bulldogs en su pecho.

–¡Jeremiah! –grita otro miembro de la banda al acercarse con su flauta.

Caleb voltea hacia los miembros de la banda y observa a Jeremiah abrir la cajuela del auto y sacar un redoblante atado a una correa larga. Una vez que cierra la cajuela, se lo cuelga en uno de sus brazos y guarda dos palillos en su bolsillo trasero.

A medida que me acerco, mis pasos son cada vez más lentos. Caleb todavía no me ha visto, ya que sigue con la mirada fija sobre los miembros de la banda y la porrista. El auto comienza a andar y pasa frente a los muchachos.

Puedo ver que la señora que maneja se reclina y mira a Caleb, quien esboza una sonrisa indecisa y baja la mirada.

Una vez que el automóvil se aleja, oigo al flautista hablar de una chica con la que se encontrará una vez terminado el desfile. Cuando se acercan a la parada de autobús, Jeremiah cruza la mirada con Caleb. No estoy muy segura, pero puedo percibir una señal de tristeza en ambos.

De pronto, la porrista se acerca a Jeremiah y lo toma por el codo para alejarlo de Caleb, quien los ve marcharse. En ese momento, finalmente, me ve acercarme.

–Lo lograste –me dice.

–Parece que tienes frío –le ofrezco una de las bebidas.

Toma un sorbo y se tapa la boca para no reírse y volcar todo.

–Moca de menta. Vaya que sabe bien –afirma luego de probarlo.

–Y no es el barato –le aclaro.

Luis y los otros chicos se estiran para mirar algo a lo lejos. Cerca de la esquina se encuentra estacionada una limusina convertible rosa y blanca. Puedo ver que una chica de mi edad con un brillante vestido azul y una cinta de un tono más claro sube al asiento trasero del vehículo.

–¿Esa es Christy Wang? –pregunto. Cuando asistía a la primaria aquí, Christy era la única persona que hacía que no me sintiera bienvenida. Se burlaba de mí por no ser una auténtica chica californiana. Seguramente, debió cambiar su personalidad lo suficiente como para que la elijan

Reina del Invierno. O quizás tenga más que ver con lo asombrosa que se ve con ese vestido.

—Es un día hermoso para el desfile, muchachos —comenta Luis con una rara voz de presentador—. ¡Hermoso! Y la Reina del Invierno de este año es una verdadera belleza. Estoy empezando a creer que Santa la tiene en el primer puesto de su lista de niños que han sido muy, *muy* buenos este año.

El muchacho que está sentado al lado de Luis estalla de la risa.

Caleb amistosamente los empuja con el hombro.

—Muchachos, muestren algo de respeto. Es nuestra Reina.

—¿Qué rayos están haciendo? —pregunto.

Uno de los chicos me responde:

—Estamos narrando lo que ocurre. Como no hay cobertura televisiva del evento, nosotros nos hacemos cargo. Es un servicio a la comunidad. Me llamo Brent, por cierto.

Levanto la mano para estrecharla con la suya.

—Sierra.

—Es una tradición de todos los años —me dice Caleb avergonzado.

Brent me señala con un dedo.

—Tú eres la chica de los árboles de Navidad. He oído hablar de ti.

Caleb toma un largo trago y se encoge de hombros para aparentar inocencia.

–Es bueno verte otra vez, Luis –agrego.

–Yo también me alegro de verte –me responde. Su voz es tan suave que me hace pensar que, a veces, es una persona bastante reservada. Se empieza a burlar de un señor que pasa con uno de sus zapatos desatado.

–Un aplauso para el Club de la Moda, vamos, todos juntos. En primer lugar, deberán ajustar bien fuerte uno de sus zapatos y el otro déjenlo suelto. Si eres buena onda, seguramente estés listo para imponer una nueva moda. ¿Esta? No creo que esté funcionando.

–¡No se tropiece, señor moderno! –grita Brent y el hombre voltea. Brent le sonríe y lo saluda con la mano.

Nadie dice nada por varios segundos mientras observan a la gente pasar. Caleb toma otro sorbo de su bebida y yo me empiezo a alejar lentamente.

–¿A dónde vas? –me pregunta–. Quédate con nosotros.

–No hay problema, no quiero interrumpir su trabajo de comentaristas.

Caleb mira a sus amigos y puedo percibir que mantienen una conversación de chicos tan solo con la mirada. Finalmente, voltea hacia mí.

–No te preocupes, no nos molestas.

Brent hace señas con las manos para que nos alejemos.

–Ustedes dos, niñitos, vayan a divertirse.

Caleb choca puños con sus amigos y nos marchamos para ver el desfile.

–Gracias de nuevo por la bebida.

Nos abrimos paso entre la multitud que disfruta de las tiendas de la ciudad abiertas a esta hora de la noche. Luego de un rato, volteo hacia él con la esperanza de poder mantener una conversación agradable, pero lo único que hacemos es mirarnos y sonreír por un breve momento. Me siento tan fuera de lugar con Caleb, tan insegura y extraña.

Finalmente, le pregunto lo único que se me pasa por la cabeza.

—¿Quién era ese chico?

—¿Brent?

—No, el percusionista de la banda.

Caleb toma un sorbo y caminamos unos cuantos metros en silencio.

—Jeremiah. Un viejo amigo.

—¿Y él prefiere participar del desfile a estar con todos ustedes? —le pregunto—. Eso sí es raro.

—No, seguramente no. Pero no se juntaría con nosotros incluso si pudiera —me responde sonriendo.

Luego de pensarlo por varios segundos, le pregunto.

—¿Hay alguna historia detrás de eso?

—Es una historia muy larga, Sierra —responde de inmediato.

Es obvio que estoy intentando saber mucho de su vida personal, pero ¿cómo podría siquiera pensar en ser amiga de alguien a quien no le puedo hacer una simple pregunta? Y tampoco es que surgió de la nada. Está relacionada con algo que ocurrió frente a mí. Si algo tan mínimo como eso provoca que se cierre tanto en sí mismo, no creo que quiera verlo más. He terminado relaciones por razones mucho más simples que esta.

–Puedes ir con tus amigos si quieres –le comento–. De todas formas, tengo que ayudar a Heather.

–Preferiría quedarme contigo –aclara.

Al oír eso, me detengo.

–Caleb, creo que deberías pasar esta noche con tus amigos.

Cierra sus ojos y se lleva una mano a la cabeza.

–Déjame intentarlo otra vez.

Lo miro fijo para que me cuente la historia.

–Jeremiah era mi mejor amigo, pero pasaron ciertas cosas, que deduzco que ya habrás oído, y sus padres no quieren que se junte más conmigo. Su hermana es como una especie de radar, una versión pequeña de su madre, y siempre se las arregla para estar cerca de él.

Recuerdo la forma en que la madre de Jeremiah lo miró a Caleb al pasar con su auto y el momento en que su hermana lo llevó hacia otra parte de la acera. Me gustaría pedirle más detalles, pero necesito estar segura de que realmente *quiera* contármelos. La única manera de poder obtener más información es si él me hace alguna pregunta a mí.

–Si necesitas saber qué fue lo que ocurrió, te lo explicaré –añade Caleb–, pero no en este momento.

–Pero que sea pronto –le pido.

–Aquí no. ¡Es un desfile de Navidad! Y tenemos mocas de menta –mira por encima de mi hombro y sonríe–. En fin, seguramente no pudiste oír lo que dije por la música.

Como si estuvieran todos conectados, los miembros de la banda comienzan a tocar a todo volumen la canción *El niño del tambor*.

–¡Entendido! –grito para que me pueda escuchar.

Nos encontramos con Heather y Devon a pocos metros de donde empieza el desfile, y puedo ver que Devon sujeta la planilla contra su pecho para protegerse de la mirada furiosa de Heather.

–¿Qué ocurre? –pregunto.

–¡La Reina del Invierno le pidió su número! –contesta de inmediato Heather–. ¡Y yo estaba justo al lado!

Devon esboza una pequeña sonrisa y yo casi hago lo mismo. Christy Wang no cambió nada después de todo. También me hace pensar que todas las palabras de Heather sobre terminar la relación fueron solo eso… palabras. Todavía debe sentir algo hacia él, incluso si solo lo demuestra con escenas de celos.

Los seguimos y nos abrimos espacio entre las familias para sentarnos en el borde de la acera. Heather se sienta primera y yo me coloco a su lado. Devon se queda de pie y Caleb choca puños con él antes de sentarse junto a mí.

–¿De verdad le pidió el número? –pregunto.

–¡Sí! –la puedo oír refunfuñar–. ¡Y yo estaba ahí mismo!

–Pero no se lo di. Le dije que tenía novia –nos dice al inclinarse hacia nosotras.

–Si no hubieras dicho *tenía* todo iba a estar perfecto –señala Heather.

–Ella *es* una Reina muy atractiva –añade Caleb.

Noto que lo dice para burlarse, pero, de todas formas, le doy un golpe con el codo.

–No es gracioso.

Sonríe y pone los ojos como si fuera el Sr. Inocencia. Antes de que Heather pueda decir algo más o Devon pueda empeorar aún más su situación, la banda musical de los Bulldogs aparece por la esquina con las porristas al frente. La multitud enloquece al oír una versión instrumental del *Jingle Bell Rock*.

Observo a Jeremiah pasar mientras marca el ritmo con sus palillos. Todos comenzamos a aplaudir a la par de la canción, pero me detengo lentamente para observar a Caleb. Cuando el resto de las personas voltean para ver al siguiente grupo, Caleb continúa con la mirada fija en la banda. Los tambores cada vez se escuchan menos en la distancia, pero él mantiene el ritmo golpeando los dedos contra sus rodillas.

Caleb cierra la cajuela de su camioneta luego de subir otro árbol a la parte trasera.

–¿Segura de que tienes tiempo para esto? –me pregunta.

En realidad, no. Al igual que todos los años, el lote se vuelve a llenar de gente una vez terminado el desfile, pero, como regresamos al trabajo enseguida, le pregunté a mamá si me permitía acompañar a Caleb en esta entrega. Me dio treinta minutos.

–Sí, no es un problema en absoluto –digo justo cuando ingresan otros dos automóviles al lote. Caleb pone una mirada escéptica y burlona–. Está bien, quizás no sea el mejor momento, pero de verdad quiero acompañarte.

–Bien –su hoyuelo vuelve a aparecer al esbozar una sonrisa y se encamina hacia la puerta de su camioneta.

En cuestión de minutos, llegamos a una pequeña casa poco iluminada y nos bajamos del vehículo para entregar el árbol. Él lo toma por las ramas del centro y yo por la parte del tronco. Subimos unos escalones hasta la puerta principal y apoyamos el árbol contra la pared. Cuando Caleb toca el timbre de la casa, comienzo a sentir que mi corazón late cada vez más fuerte. Siempre disfruté vender árboles, pero sorprender a las personas con ellos es una sensación completamente nueva.

De pronto, la puerta se abre. Un hombre con los ojos entrecerrados observa a Caleb y al árbol. Detrás de él, una señora que parece muy cansada me observa.

–El banco de alimentos dijo que vendrías más temprano –se queja–. ¡Nos perdimos el desfile por esperarte!

Caleb baja la mirada por unos segundos.

–Lo siento. Les dije que vendría una vez que hubiera terminado el desfile.

Desde aquí afuera puedo ver un corralito en la sala de estar con un bebé en pañales durmiendo dentro.

–Eso no fue lo que nos dijeron. Acaso, ¿nos mintieron? –pregunta la señora preocupada y abre la puerta para que podamos entrar el árbol–. Colócalo sobre aquella base.

Movemos el árbol, que ahora parece diez veces más pesado, y lo colocamos en una esquina oscura de la habitación mientras la mujer nos mira trabajar. Luego de acomodarlo varias veces para que permanezca derecho, nos alejamos y lo observamos junto al señor. Al ver que no dice nada, Caleb me hace señas para que lo siga hacia la puerta principal.

–Les deseo una muy feliz Navidad –añade Caleb.

–Al parecer, no tuvo un buen comienzo –mascula la señora–. Nos perdimos el desfile por esto.

–Ya los oímos la… –empiezo a decir, pero Caleb me toma por el brazo y me lleva hacia la puerta.

–De nuevo, lo sentimos mucho.

Lo sigo hasta la puerta. Al subirnos de nuevo a la camioneta, me descargo con Caleb.

–Ni siquiera dijeron gracias. ¡Ni una sola vez!

–No pudieron asistir al desfile, estaban desilusionados.

Al oír esto, abro los ojos bien grandes.

–¿Hablas en serio? ¡Tú les compraste un árbol a cambio de nada!

Caleb comienza a manejar en reversa hasta la calle.

–No hago esto para ganar estrellas de oro. Tienen un niño pequeño a su cargo y, seguramente, estaban muy cansados. Perderse el desfile, ya sea por un malentendido o no, es algo frustrante.

–Pero tú haces esto con tu propio dinero y en tu tiempo libre.

–Entonces, ¿tú solo lo harías para que las personas te recuerden lo grandiosa que eres por hacer esto? –me pregunta mirándome con una sonrisa en su rostro.

Quiero gritar y reír por lo ridícula que fue esa familia y ¡por lo ridículo que es Caleb ahora mismo! Sin embargo, no tengo nada para decir y él lo sabe. Se ríe y mira sobre su hombro para cambiar de carril.

Me gusta Caleb. Me gusta más cada vez que lo veo. Y esto solo puede terminar mal. Me voy a fin de mes, él se queda y el peso de todo lo que no se ha dicho aumenta cada día más.

De regreso al lote, Caleb estaciona la camioneta en el estacionamiento, pero no apaga el motor.

–Solo para que lo sepas, también estoy de acuerdo con que fueron muy groseros como para recibir un árbol gratis. Pero debo aceptar que todos tienen derecho a tener un mal día.

Las luces de los alrededores producen sombras cambiantes que le ocultan el rostro, lo que me hace difícil verlo con claridad, pero, al iluminarse, puedo ver que su mirada me pide que lo entienda.

–De acuerdo –respondo.

CAPÍTULO 12

Es un día muy ocupado en el lote, tanto es así que apenas tengo tiempo de ir al baño o de almorzar. Por ese motivo, me llevo un tazón de macarrones con queso al mostrador para poder comer entre venta y venta. *Monsieur* Cappeau me envió un email esta mañana para que lo llame en los próximos días *pour pratiquer*, pero eso está muy abajo en mi lista de tareas.

Al igual que la otra vez, el camión con los árboles llegó muy temprano, no solo antes de que abriéramos, sino, incluso, antes de que alguno de los empleados llegara al lugar. Papá tuvo que pedirles a algunos de ellos que vengan más temprano para ayudarnos a bajar la carga.

A pesar de estar tan cansada por haber descargado tantos árboles antes del desayuno, me alegro por la cantidad de trabajo que hay en el lote. Pareciera que el negocio está remontando, y que la idea de abrir el lote el próximo año se hace cada vez más posible.

Me acerco a mamá, a un lado del mostrador y señalo al Sr. y Sra. Ramsay afuera. Trato de relatar lo que sucede tal como lo hacían Caleb y sus amigos durante el desfile.

—Amigos, al parecer los Ramsay están discutiendo sobre si vale pagar más o no por este hermoso pino blanco.

Mamá me mira como si estuviera cuestionando mi cordura, pero, de todas formas, continúo.

—Ya hemos visto esto antes —agrego—, y no creo estar anticipándoles el final al decirles que la Sra. Ramsay se saldrá con la suya. Nunca le han gustado los abetos azules, no importa lo que el Sr. Ramsay diga.

Mamá se ríe y me hace señas para que hable más bajo.

—¡Un acuerdo parece inminente! —agrego.

Mamá se acerca más a mí y empezamos a mirar la escena por detrás de los árboles.

—La Sra. Ramsay comienza a agitar los brazos —señalo—, como si le estuviera pidiendo a su esposo que cambie de parecer si quiere un árbol para esta Navidad. El Sr. Ramsay compara las hojas de ambos árboles. ¿Qué pasará, amigos? ¿Cuál será el veredicto? Y… eligen… el… ¡pino blanco!

Al ver esto, levantamos las manos y chocamos los cinco.

—La Sra. Ramsay se queda con el premio otra vez —añado.

La pareja ingresa a la Administración y mamá, aguantándose la risa, se marcha del lugar. Cuando el Sr. Ramsay coloca el billete de veinte dólares sobre el mostrador, la Sra. Ramsay intercambia sonrisas conmigo. Me pone triste ver que alguien se marche decepcionado, por eso, le digo al Sr. Ramsay que han hecho una gran elección. Los pinos blancos mantienen sus hojas por mucho más tiempo en comparación a otros árboles, de esta forma, no necesitarán pasar la aspiradora por el suelo antes de que lleguen sus nietos.

Antes de que pueda guardar su billetera, la Sra. Ramsay se la saca de la mano y me entrega una propina de diez dólares por haberlos ayudado. Ambos se marchan felices, aunque ella le da un pequeño golpe y le dice que se preocupa demasiado por el resto y se olvida de sí mismo.

Me quedo mirando la propina de diez dólares y surge una idea en mi cabeza. Muy pocas veces recibo propinas, ya que la mayoría de los clientes se las dan a los empleados que los ayudan a cargar los árboles en sus vehículos.

Le envío un mensaje de texto a Heather:

> ¿Podemos juntarnos a hacer galletas esta noche en tu casa?

La casa rodante es un buen lugar para estar, pero no está preparado para una noche de hornear galletas.

Heather me contesta inmediatamente:

> ¡Claro que sí!

Ni bien recibo el mensaje, le envío otro a Caleb:

Si mañana planeas hacer otra entrega, me
gustaría acompañarte. De hecho, también
tendré algo para contribuir aparte de mi
afable personalidad. Apuesto a que nunca
utilizaste esa palabra en una frase.

Luego de varios minutos, Caleb me responde:

De hecho, no. Y sí, puedes venir.

Aparto el teléfono hacia un lado y esbozo una sonrisa. Durante el resto del día tengo la mente en Caleb y en lo ansiosa que estoy por verlo. Pero mientras cierro las ventas del día, soy consciente de que esta vez tiene que ser más que solo árboles y galletas. Si ahora me hace sentir así de feliz y veo que la relación se torna cada vez más intensa entre ambos, necesito saber qué fue lo que ocurrió con su hermana. Ya mencionó que pasó algo, pero al ver todo lo que hemos hecho juntos, no puedo creer que sea tan malo como dicen que es.

Al menos, eso espero.

El día siguiente parece no llegar nunca. Con Heather nos quedamos hasta tarde charlando y cocinando galletas de Navidad en su casa. Devon también pasó justo a tiempo para agregarles glaseado con chispas de colores y para ayudarnos a moldear una docena de ellas. Ahora que estuve un tiempo a solas con él, puedo confirmar que sus historias son muy aburridas. Sin embargo, su talento para decorar las galletas *casi* lo compensa.

Al regresar al lote, le explico a un cliente cómo debe hacer para saber el precio de un árbol: debe fijarse en el color del listón que se encuentra atado en las ramas. Después que se ha marchado, me quedo junto a uno de los árboles y cierro los ojos por un momento. Al abrirlos, veo la camioneta de Caleb en la puerta del lote y un sentimiento de ansiedad recorre mi cuerpo.

Pero, al parecer, papá también lo vio. Al regresar a la Administración, lo encuentro apoyado sobre el mostrador con algunas hojas en su cabeza.

—¿Todavía sigues pasando tiempo con ese chico? —su voz tiene una intención muy clara.

—Ese chico se llama Caleb —le contesto—, y no trabaja aquí, así que no tienes por qué espantarlo para que no hable conmigo. Además, tienes que admitirlo, es nuestro mejor cliente —le digo al acercarme para sacarle algunas pequeñas hojas de su hombro.

—Sierra... —se detiene, pero le quiero explicar que soy consciente de nuestra situación.

–Ya lo sé, solo estamos aquí por algunas pocas semanas. No hace falta que lo repitas.

–Solamente no quiero que te hagas falsas esperanzas –agrega–. O que él se las haga. Recuerda, todavía no estamos seguros de si volveremos el próximo año.

–Quizás no tenga sentido –le digo con un nudo en la garganta–. Y estoy plenamente consciente de eso, pero… me gusta.

Noto tal expresión de malestar en su rostro, que cualquiera que lo hubiera visto, habría pensado que le dije que estaba embarazada. Comienza a sacudir la cabeza de lado a lado.

–Sierra, sé…

–¿Prudente? ¿Eso es lo que me quieres decir?

Vuelve la mirada hacia otro lado. Lo más irónico de todo es que él y mamá se conocieron de esta forma, en *este* mismo lote.

–Espero que creas que lo soy –agrego al sacarle otra hoja de su cabello y darle un beso en la mejilla.

Caleb se acerca al mostrador y apoya la etiqueta de su próximo árbol.

–La familia de esta noche recibirá una belleza –comenta–. Lo había visto la última vez que estuve aquí.

Papá sonríe y le da una palmada en el hombro antes de marcharse en silencio.

–Eso significa que te lo estás ganando –le explico mientras tomo del mostrador una lata con forma de trineo, repleta de galletas. Caleb abre los ojos bien grandes.

–No te ilusiones, estas se quedan en donde sea que entreguemos el árbol.

–Un momento, ¿las hiciste para ellos? –su sonrisa parece iluminar todo el lugar.

Luego de entregar el árbol y las galletas a la familia, Caleb me pregunta si me gustaría probar el mejor *hotcake* de la ciudad. Le digo que sí y nos dirigimos a una cafetería veinticuatro horas que, probablemente, fue remodelada por última vez a mediados de los setenta. A lo largo de una docena de mesas puedo ver un ventanal enorme iluminado por luces de un tinte anaranjado. En este momento, hay solo dos personas sentadas en el lugar.

–¿Tenemos que vacunarnos contra el tétano para comer aquí? –le pregunto burlándome.

–Este es el único lugar de toda la ciudad en el que puedes conseguir *hotcakes* más grandes que tu cabeza –añade–. Y no me digas que ese nunca fue tu sueño.

Una vez dentro, puedo ver un cartel pegado con cinta adhesiva contra la caja registradora que dice POR FAVOR, TOME ASIENTO. Lo sigo a Caleb hacia una mesa cerca de la ventana luego de pasar por debajo de varios adornos navideños colgados del techo con líneas de pesca. Elegimos una de las mesas cuya superficie verde, seguramente, tuvo su época de esplendor, pero no en este siglo. Ni bien terminamos de ordenar "el mejor *hotcake* de todo el mundo", junto las manos sobre la mesa y le clavo la mirada a Caleb. Con su pulgar, comienza a abrir y cerrar la tapa de una jarrita de miel que se encuentra al lado de las servilletas.

–Aquí no hay nada sonando fuerte –le recuerdo–. En caso de que quieras hablar, te podré escuchar bien.

Deja de mover la tapa de la jarra y se reclina sobre su asiento.

–¿De verdad lo quieres oír?

Honestamente, no lo sé. Él sabe que he oído cosas, pero, tal vez, lo que oí no sea cierto. De cualquier modo, si no hay nada malo que ocultar, entonces debería aprovechar el momento y contarme la historia completa.

Comienza a tocarse la cutícula de su dedo pulgar en señal de nerviosismo.

–Puedes empezar por explicar por qué todavía no usaste tu nuevo peine –la broma no parece causarle gracia, pero espero que aprecie que al menos lo intenté.

–Lo usé esta mañana –me contesta al pasar la mano por su cabello–. Quizás el que me regalaste estaba roto.

–Lo dudo –aclaro.

Toma un sorbo de agua y, finalmente, luego de varios minutos de silencio, habla.

–¿Puedes contarme lo que has oído?

Me muerdo el labio inferior, pensando cómo decirlo.

–¿Palabras exactas? –pregunto–. Bueno, pues he oído que atacaste a tu hermana con un cuchillo.

Cierra los ojos al escuchar eso y comienza a balancearse levemente en su asiento.

–¿Qué más?

–Que ella ya no vive aquí –me siento mal cuando noto un cuchillo para untar mantequilla cerca de sus manos.

–Ahora vive en Nevada –agrega–, con nuestro padre. Este año comienza su primer año de estudios.

Voltea hacia la cocina, quizás con la esperanza de que la mesera interrumpa la conversación. O tal vez solo quiera continuar hablando sin interrupciones.

–Y tú vives con tu madre –añado.

–Así es –contesta–. Obviamente, en un principio era diferente.

La mesera se acerca y coloca dos tazas vacías sobre la mesa y las llena con café. Ambos tomamos la jarra de leche y sobrecitos de azúcar.

–Cuando mis padres se separaron, mi mamá no lo tomó muy bien. Bajó mucho de peso y lloraba demasiado, aunque, imagino que es lo normal. Abby y yo nos quedaríamos con ella hasta que se aclarase todo –me cuenta mientras mezcla su bebida.

Toma un sorbo, y yo soplo mi taza para enfriarla un poco.

–Abby y yo teníamos nuestro propio abogado, como en algunos casos suele pasar –toma otro sorbo y sostiene su taza con ambas manos sin quitarle la vista de encima–. En ese momento fue cuando empezó todo. Yo sentía que debíamos quedarnos con mamá y la trataba de convencer a Abby de que eso era lo que debíamos hacer. Le dije que ella nos necesitaba y que papá estaría bien.

Tomo un sorbo de mi taza y observo que él mantiene la mirada sobre la suya.

—Pero él no se encontraba bien —agrega—. En el fondo, sabía que no lo estaba, pero esperaba que pudiera remontar la situación. Creo que si lo hubiera visto a él todos los días, tan herido y triste como mamá, me habría quedado con él.

—¿Por qué crees que no estaba bien? —pregunto.

La mesera nos trae el pedido y noto que los *hotcakes* de verdad son del tamaño de nuestras cabezas, pero no es suficiente para mantener la conversación simple que Caleb seguramente esperaba al elegir este lugar. De todas maneras, funcionan como una distracción a medida que la charla se desarrolla. Le vierto un poco de miel al mío y empiezo a cortar mi *hotcake* con los cubiertos.

—Antes de separarse, mi familia solía ponerse muy contenta en esta época del año —añade—. Nos volvíamos locos, ya sea con la decoración o con todas esas cosas que hacíamos en la iglesia. Algunas veces, el Pastor Tom nos acompañaba a cantar villancicos. Pero cuando papá se mudó a Nevada, me di cuenta de que todo eso había terminado para él. Su casa era un lugar muy oscuro y depresivo, en el cual no solo faltaban las luces de Navidad, sino que la mitad de las bombillas no funcionaban. Es más, ni siquiera abrió algunas de sus cajas luego de pasar varios meses allí.

Todavía con la mirada baja, comienza a comer su *hotcake* de a poco. Por un momento pensé en decirle que no hacía falta que continuara hablando. Sea lo que sea que haya ocurrido, Caleb no deja de gustarme.

–Luego de nuestra primera visita a su nueva casa, Abby comenzó a culparme por lo sucedido. Se enojaba conmigo por la vida que estaba llevando papá desde que la convencí de quedarnos con mamá. Y no había manera de que terminara con eso. En ocasiones, me decía cosas como "Mira lo que le has hecho".

Me hubiera gustado decirle a Caleb que su papá no era responsabilidad suya, pero, seguramente, ya lo sabe. Estoy segura de que su madre le repitió eso miles de veces, o, al menos, eso espero.

–¿Cuántos años tenías en ese entonces? –le pregunto.

–Estaba en octavo grado. Abby en sexto.

–Recuerdo muy bien el sexto grado –le digo–. Seguramente, ella estaba tratando de entender cómo encajaría todo en esta nueva vida.

–Pero me culpaba a *mí* por la separación, aunque, en parte, así lo era. Estaba en octavo grado, ¿cómo podría saber qué era lo mejor para todos?

–Tal vez, no había nada mejor –señalo.

Luego de un largo rato, Caleb levanta la mirada. Veo que intenta esbozar una sonrisa, pero apenas lo logra, y creo que sabe que quiero entender qué pasó luego.

Toma otro sorbo de su café, casi sin levantar la taza de la mesa. Nunca antes lo había visto tan frágil como en este momento.

–Con Jeremiah fuimos amigos durante muchos años, mejores amigos, y él sabía que Abby me culpaba por todos los problemas. La solía llamar *Bruja Mala del Oeste*.

–Eso sí que es un amigo –digo irónicamente mientras corto otra porción del *hotcake*.

–También lo decía frente a ella, lo que la volvía mucho más loca –se ríe un poco, pero cuando se detiene, mira por la ventana. Su expresión reflejada en el vidrio oscuro se siente fría–. Pero un día, no lo pude soportar más. No podía dejar que me acusaran todo el tiempo. Simplemente, no podía.

Tomo el tenedor y levanto una porción de *hotcake* repleta de miel, pero no la llevo a mi boca.

–¿Qué significa eso?

Me mira a los ojos y puedo ver en él rastros de dolor y sufrimiento, más que de furia por el pasado.

–Ya no podía seguir escuchando eso. No sé de qué otra forma decirlo. Un día, me gritó lo mismo de siempre: que yo había arruinado la vida de papá y la suya, y también la de mamá. Y algo dentro de mí… cambió –su voz se quiebra–. Corrí a la cocina y tomé un cuchillo.

En este momento, dejé el tenedor sobre el plato con una mirada sin expresión alguna.

–Cuando lo vio, corrió a su habitación lo más rápido que pudo –agrega–. Y yo fui tras ella.

Sujeta su taza con una de sus manos y, con la otra, desenvuelve el cuchillo de la servilleta. No estoy segura de si está consciente de lo que acaba de hacer, pero, si así lo fuese, no sé si lo hizo por él o por mí.

—Cuando entró a su habitación, cerró la puerta de un golpe y… —se reclina, cierra los ojos y coloca las manos sobre sus piernas. La servilleta se desenrolla con el cuchillo dentro—. Acuchillé la puerta una y otra vez. No quería lastimarla, nunca lo haría. Pero no podía detenerme. La oía gritar y llorar mientras hablaba con mamá por teléfono, hasta que finalmente, solté el cuchillo y me desplomé en el suelo.

—Dios mío —las palabras sonaron como un pequeño suspiro o quizás solo pasaron por mi cabeza.

Levanta la mirada hacia mí y puedo ver que su mirada *ruega* que lo entienda.

—Entonces, sí lo hiciste —comento.

—Sierra, te lo juro, esa fue la única vez que me ocurrió algo como eso. Y te lo puedo asegurar, nunca la habría lastimado. Ni siquiera comprobé si la puerta estaba abierta porque no se trataba de eso. Creo que necesitaba demostrarle lo mucho que me estaba lastimando. Nunca herí a nadie físicamente en toda mi vida.

—Aún no puedo comprender por qué lo hiciste —digo desconcertada.

—Creo que quería asustarla —señala—. Pero eso es todo. Y realmente lo logré. Me asusté a *mí* mismo y a mi madre.

Nos quedamos callados por un momento. Aprieto fuerte mis manos entre las rodillas y siento la tensión en el cuerpo.

—Luego de eso, Abby se fue a vivir con mi papá, y aquí estoy yo, rodeado de rumores y excluido de la sociedad.

Me quedo sin aire por un tiempo. No sé cómo hacer para encontrar una relación entre el Caleb que conocía y que disfrutaba salir conmigo, con esta persona totalmente destrozada frente a mí.

—¿Todavía la sigues viendo? ¿A tú hermana?

—Cada vez que visito a mi padre o cuando ella nos visita aquí —dirige la mirada hacia mi plato y se da cuenta de que no comí nada por varios minutos—. Durante dos años, asistimos a sesiones de terapia familiar cuando nos visitaba. Ella dice que lo entiende y que me perdona, y creo que está siendo honesta. Es una gran persona. Te caería muy bien.

Finalmente, tomo otra porción, aunque no tengo hambre, pero ya no sé qué decirle.

—Una parte de mí tiene la esperanza de que cambie su forma de pensar y vuelva con nosotros, pero nunca podría pedírselo —agrega—. Eso es algo que *ella* quiere y, aparte, le gusta Nevada. Tiene una nueva vida y nuevos amigos. Si veo el lado positivo, estoy agradecido de que esté cerca de papá.

—No siempre hay un lado positivo —señalo—, pero me alegra saber que lo has encontrado.

—Aun así, sigue afectando a mi madre. Por mi culpa, sin duda alguna, uno de sus hijos se fue de casa —añade—. Ella extraña ver a su hija crecer, y eso es culpa mía. Tendré que lidiar con eso durante toda mi vida.

La forma en que tensa la mandíbula me demuestra que ya ha llorado mucho por esto en el pasado. Pienso en todo lo que me contó y en lo difícil que debió haber sido para su madre y hermana, aunque, también, para él mismo. Soy consciente de que esto debería asustarme un poco, pero, de alguna manera, no lo hace, porque de verdad creo que nunca lastimaría a nadie. Todo lo que sé sobre él me hace creer eso.

—¿Por qué se separaron tus padres? —pregunto.

Se encoge de hombros antes de responder.

—Supongo que por muchas razones que no sé, pero mi madre me contó una vez que siempre tenía que ser cuidadosa con lo que decía o hacía cuando estaba cerca de él, a la espera de que le diga que estaba haciendo todo mal. Cuando vivían juntos, creo que ella pasaba mucho tiempo sintiéndose horrible consigo misma.

—¿Qué hay de tu hermana? —pregunto—. ¿Tu padre la trata de la misma forma?

—De ninguna manera —me contesta Caleb y, finalmente, se ríe—. Abby tiene mucho carácter. Si le dijera algo sobre cómo está vestida, ella exageraría esa forma de vestir solo para molestarlo y lograr que termine disculpándose.

—Ese es el tipo de chica que me agrada —le digo riendo.

La mesera se acerca para rellenar nuestras tazas de café y veo que la expresión de preocupación regresa al rostro de Caleb.

—Gracias —le dice.

–Y, ¿cómo se relaciona todo esto con Jeremiah? –le pregunto una vez que la mesera se ha marchado.

–Tuvo la mala suerte de estar en mi casa cuando ocurrió todo –me contesta y se queda mirando por la ventana otra vez–. Y estaba tan asustado como todos, tanto que terminó yéndose a su casa y contándole todo lo ocurrido a su familia, claro que eso era lo esperable. En ese momento, su madre le dijo que ya no podíamos ser más amigos.

–Y, ¿a partir de allí, ella les prohíbe verse?

Sus dedos apenas tocan el borde de la mesa.

–Estaría mal culparla –contesta–. Sé que no soy peligroso, pero ella solamente está protegiendo a su hijo.

–Ella *cree* que lo está protegiendo –añado–. Hay una gran diferencia entre una cosa y la otra.

Aparta la vista de la ventana y se queda mirando la mesa con los ojos entrecerrados.

–La culpo por haberles contado a otras personas lo que sucedió –señala–. Me transformó en esta *cosa* que tienen que evitar. Tú ahora lo sabes por culpa de su familia, que esparció el rumor tiempo atrás. Mentiría si dijera que no me lastimó… demasiado.

–Nunca hubiera permitido que me obliguen a creerlo –agrego.

–Y, también, es muy exagerada –comenta–. Probablemente, para asegurarse de que otros padres no crean que estaba sobreactuando. Por eso, la gente como Andrew me considera un maniático de los cuchillos.

Por primera vez, puedo ver la furia que acumula por todo esto. Cierra los ojos y levanta una mano antes de continuar.

–Olvida lo que acabo de decir. No quiero que juzgues a la familia de Jeremiah, no estoy seguro de si ella exageró algo o no. La historia podría haber cambiado a medida que circulaba entre las personas.

Recuerdo la advertencia de Heather y la expresión tanto de Rachel como de Elizabeth al escuchar la historia. Todas reaccionaron muy pronto y tenían sus propias conclusiones, sin haber escuchado la versión de Caleb.

–Incluso si en verdad fue su culpa, ya no importa –agrega–. Ella tenía una razón para hacer lo que hizo. Todos tenían una razón. Eso no cambia lo que yo hice para que eso ocurriera.

–Pero no es justo –señalo.

–Desde hace mucho tiempo, siempre que camino por los corredores de la escuela o salgo a pasear por el centro y me cruzo con personas conocidas, veo en sus miradas una expresión fría que me hace preguntar si habrán oído algo o en qué estarán pensando.

–Lo siento, Caleb –le digo moviendo la cabeza de lado a lado.

–Lo gracioso es que podríamos haber continuado siendo amigos con Jeremiah. Él estaba ahí y vio todo. Seguramente estaba asustado, pero me conoce lo suficiente para saber que nunca le habría hecho daño a Abby –señala con cierto rencor–. Ha pasado tanto tiempo. Era mucho más chico de lo que ella es ahora cuando ocurrió todo.

–Su madre no puede seguir preocupada porque su hijo, con la edad que tiene, se junte contigo –señalo–. Sin ofender, pero, incluso, te supera en estatura.

Se ríe al escuchar el comentario.

–Pero ella es así. Incluso su hermana, Cassandra, es como si fuera su sombra. Cuando él trataba de ser amable conmigo, ella siempre estaba ahí para alejarlo.

–¿Y a ti te parece bien continuar con todo esto?

Me devuelve una mirada cansada.

–La gente cree lo que quiere. Es por eso que tuve que aceptarlo –comenta–. Puedo enfrentarme a esto, pero es muy cansador. Puedo soportar el dolor por un tiempo, pero ya se convierte en tortura. O puedo simplemente pensar que ellos son los que perdieron.

No importa qué opción elija, queda claro que todavía le causa un dolor que lo agobia.

–*Ellos* perdieron –le aseguro al inclinarme y colocar mi mano sobre la suya–. Y estoy segura de que esperarías recibir palabras más sorprendentes de mi parte, pero de verdad creo que eres un chico muy agradable, Caleb.

–Tú también eres muy agradable, Sierra. No muchas chicas serían tan comprensivas como tú –me dice con una sonrisa en su rostro.

–¿Cuántas chicas necesitas? –le digo para relajar la situación.

—Ese es el otro problema —su sonrisa desaparece otra vez—. No solo tendría que explicarle a una chica mi pasado, si es que no oyó nada, sino que también se lo tendría que contar a sus padres. Si viven aquí, en algún momento escucharán el rumor.

—¿Lo has tenido que explicar muchas veces?

—No —contesta— Porque nunca estuve tanto tiempo con alguien como para entender que realmente lo valiera.

Me quedo sin aire por un momento. ¿De verdad *yo* lo valgo? ¿Lo está admitiendo?

—¿Por eso estás interesado en mí? ¿Porque pronto me marcho? —le digo al retirar mis manos de las suyas.

Deja caer sus hombros y se inclina hacia atrás.

—¿Quieres la verdad?

—Creo que de eso se trata esta noche.

—Sí, en un principio, pensé que quizás podría hacer a un lado el problema y salir a divertirme.

—Pero yo escuché el rumor —señalo—. Tú lo sabías y, sin embargo, continuaste viéndome.

Me doy cuenta de que está conteniendo la risa.

—Tal vez fue la forma en que utilizaste la frase *echar un ojo* en una frase —coloca sus manos en el centro de la mesa con las palmas apuntando hacia arriba.

—Estoy segura de que fue eso —coloco mis manos sobre las suyas. Hoy nos hemos sacado un peso de encima.

—No lo olvides —me dice con una sonrisa infantil—, tú también tienes los mejores descuentos en árboles.

–Oh, por *eso* es que me visitabas –señalo–. ¿Y si decido que, a partir de ahora, deberás pagar el valor total?

Se recuesta en su asiento con la intención de pensar por cuánto tiempo más seguir con la broma.

–En ese caso, comenzaré a pagar el total.

Lo miro y alzo una ceja.

–Entonces, simplemente se trata de mí.

Recorre mis nudillos con su dedo pulgar.

–Solo se trata de ti.

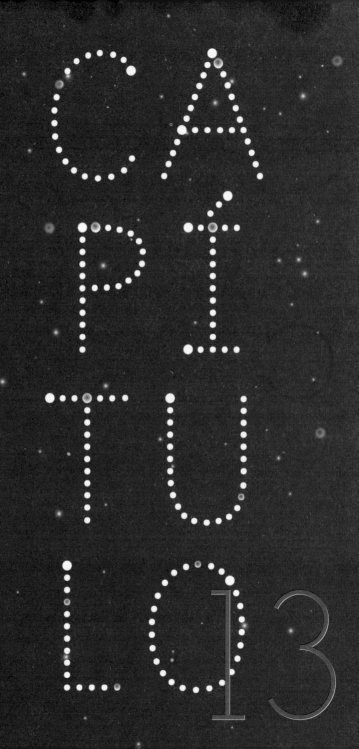

CAPITULO 13

Caleb espera a que me coloque el cinturón de seguridad y enciende la camioneta.

–Ahora es tu turno. Me encantaría escuchar sobre algún momento en el que *tú* perdiste la cabeza –me dice al salir del estacionamiento de la cafetería.

–¿Yo? –respondo inocentemente–. Yo siempre me mantengo bajo control.

La forma en que sonríe me demuestra que entendió la broma.

Conduce hasta la carretera en completo silencio mientras trato de buscar, entre las luces de los automóviles, la impresionante silueta del *Cardinals Peak* en las afueras de la ciudad. Volteo hacia él y, cuando las luces lo iluminan, veo una expresión de felicidad en su rostro, pero, al oscurecerse, se trueca en una mueca de preocupación. ¿Acaso se preguntará si ahora cambiaré de opinión acerca de él?

–Te di muchas armas en la cafetería –señala.

–¿Para usarlas en tu contra? –pregunto.

No responde, y me entristece saber que piensa que yo podría hacer eso. Tal vez, no nos conocemos lo suficiente como para estar seguro.

–Nunca haría eso –agrego, pero ahora está en él si quiere creerme o no.

Recorremos alrededor de cien kilómetros antes de que finalmente me conteste con un simple "gracias".

–Presiento que mucha gente ya lo utilizó en tu contra –señalo.

–Es por eso que dejé de contarle la verdad a la mayoría –explica–. Que la gente crea lo que quiera; ya estoy cansado de tener que explicarlo una y otra vez. Las únicas personas a las que les debo algo son Abby y mi mamá.

–Tampoco hacía falta que me lo cuentes a mí –agrego–. Podrías haber decidido…

–Ya lo sé –me interrumpe–. Pero, de verdad, quería contártelo.

El resto del camino hacia el lote lo hacemos en silencio, y yo, de verdad, espero que ahora se sienta menos culpable. Cada vez que le cuento algo muy privado a cualquiera de mis amigas, me siento aliviada y eso es porque confío en ellas. Y ahora él puede confiar en mí. Si dijo que su hermana lo perdonó, ¿por qué debería estar en su contra? Especialmente, cuando sé lo mucho que lo lamenta.

Ya una vez en el lote, entramos con la camioneta en el estacionamiento. Las luces con forma de copos de nieve alrededor del terreno están apagadas, pero los postes de luz se encuentran encendidos por seguridad. Las luces de la caravana también están apagadas y las cortinas permanecen cerradas.

—Antes de que te marches —le digo—, hay algo más que necesito saber.

Aún con el motor encendido, voltea hacia mí para escucharme.

—Cuando se acerque Navidad —agrego—, ¿visitarás a Abby y a tu padre?

Baja la mirada, pero en seguida esboza una sonrisa. Sabe que lo pregunto porque no quiero que se marche.

—Este año lo pasaré con mamá —señala—, Abby vendrá a visitarnos.

No quiero ocultar todo mi entusiasmo, pero trato de mantener un poco de distancia.

—Me alegra —le digo.

—Veré a mi papá durante las vacaciones de primavera —dice mirándome a los ojos.

—¿Estará solo durante la Navidad?

—En parte —agrega—, sí, seguramente. Pero, el lado positivo de que Abby viva con él es que lo fuerza a mantener el espíritu navideño. Este fin de semana lo acompañará a comprar un árbol.

—Vaya que es enérgica —comento.

Caleb lleva la mirada hacia el parabrisas.

–Tenía pensado acompañarlos a hacer eso el próximo año –señala–, pero ahora no lo sé. Creo que una gran parte de mí quiere quedarse aquí hasta el último minuto de Navidad antes de partir.

–¿Por tu madre? –pregunto.

Cada segundo que pasa sin una respuesta siento cómo me saco un peso de encima. ¿Acaso está diciendo que le gustaría quedarse por mí? Quiero preguntárselo, debería preguntárselo, pero estoy tan asustada. Si su respuesta es no, me sentiría ridícula por haberlo creído. Si contesta que sí, entonces tendré que explicarle que, posiblemente, el próximo año no será para nada como este.

Se baja de la camioneta en la fría noche y camina hacia mi puerta para ayudarme a bajar. Una vez fuera, nos quedamos tomados de la mano por un momento, muy cerca el uno del otro. En ese instante, me doy cuenta de que eso es lo más cercano de lo que jamás estuve con un muchacho. Pero no estaré aquí por mucho tiempo y no sé cuándo regresaré.

Le pregunto si podría pasar al día siguiente y me responde que lo hará. Suelto su mano y camino hacia la caravana con la esperanza de que el silencio allí dentro calme mi mente inquieta.

Desde hace algunos años, acompaño a Heather a la escuela un día antes de las vacaciones de invierno. La idea surgió en una de sus maratones de películas, pero teníamos dudas de si la escuela lo permitiría. Mi mamá llamó para averiguar y, como la directora de la preparatoria solía ser mi maestra cuando asistía a la escuela aquí, no tuvo problema. "Sierra es una buena chica" le dijo a mamá.

Heather se aplica el delineador en los ojos mirándose en un pequeño espejo pegado en el interior de su casillero.

—¿Le preguntaste eso mientras comían *hotcakes*? —inquiere sorprendida.

—*Hotcakes* enormes —le aclaro—. Rachel me dijo que lo hiciera en un lugar público, por eso…

—¿Qué fue lo que dijo?

—No te lo puedo contar. Simplemente, dale una oportunidad, ¿está bien? —le digo al recostarme contra el casillero de al lado.

—Te permití salir con él sin supervisión, creo que eso es darle una oportunidad —tapa su delineador—. Cuando oí que ustedes dos estaban brincando tomaditos de la mano por toda la ciudad, entregando árboles de Navidad como si fueran el Sr. y la Sra. Claus, deduje que el rumor debía ser exagerado.

—Gracias —le respondo.

—Entonces ahora que ya confirmaron la relación, debo recordarte la razón por la que te animé a buscar un amor durante las vacaciones –me dice al cerrar la puerta de su casillero.

Ambas miramos a Devon en el otro extremo del corredor con un grupo de amigos.

–¿Ya superaste todo ese tema con la Reina del Invierno? –le pregunto.

–Créeme, hice que se arrodillara para pedir disculpas por eso –señala–. Muchas veces. Y, después de todo, ¡míralo! Debería estar aquí conmigo. Si realmente le gustara…

–¡Basta! –la interrumpo–. Óyete a ti misma. Primero quieres terminar la relación, luego dices que nunca le harías eso durante las vacaciones, y, para colmo, cuando él *no* te presta atención, luces como si estuvieras abatida.

–No luzco… Espera, ¿es algo así como si estuviera lloriqueando todo el tiempo?

–Sí.

–Está bien, entonces sí luzco abatida.

Ahora todo tiene sentido. Nunca fue porque Devon es aburrido, sino porque Heather precisa sentir que él la necesita.

Nos dirigimos a su próxima clase y algunos profesores y estudiantes nos miran caminar por el corredor preguntándose quién soy. También, algunas personas me reconocen y se dan cuenta de que es esa época del año otra vez.

–Tú y Devon pasan mucho tiempo juntos –le explico–, y también sé que se besan muy seguido, pero, ¿él sabe que realmente te gusta?

–Sí, lo sabe –contesta–. Pero no sé si él gusta de *mí*. O sea, él dice que sí, y me llama todas las noches, pero es para hablar de su equipo de fútbol de fantasía, no para cosas que realmente importan, como averiguar qué me gustaría para Navidad.

Una vez que salimos del corredor lleno de estudiantes, ingresamos a la clase de Inglés. El profesor sonríe al verme y me señala una silla junto al escritorio de Heather.

Al sonar la última campanada, Jeremiah llega a toda prisa a la clase y se sienta justo enfrente de Heather. Mi corazón comienza a latir cada vez más fuerte. Recuerdo la mirada triste de Jeremiah al pasar junto a Caleb el otro día en el desfile.

Mientras el profesor prepara el proyector, Jeremiah voltea hacia mí.

–Entonces, tú eres la nueva novia de Caleb –me dice.

Al escuchar eso, siento cómo mi rostro se pone colorado de la vergüenza y quedo congelada por un momento.

–¿Quién dice eso?

–No es una ciudad muy grande –agrega–. Y tengo muchos amigos en el equipo de béisbol. La reputación de tu padre es legendaria.

–Oh, Dios mío –me tapo la cara con las manos.

–No hay problema. Me alegra saber que sales con él. Es perfecto –me dice sonriendo.

Bajo las manos y lo estudio detenidamente. El profesor dice algo sobre *Sueño de una noche de verano* mientras trata de configurar su computadora y los demás estudiantes a nuestro alrededor hojean sus cuadernos.

—¿Por qué perfecto? —le susurro inclinándome hacia adelante.

—Por lo que él hace con los árboles y lo que tú haces con ellos. Es grandioso.

Heather se acerca hacia mí.

—No me metas en problemas. Tengo que regresar aquí mañana —susurra.

—¿Por qué ya no te juntas con él? —le pregunto de la manera más discreta posible a Jeremiah.

Él baja la vista hacia su escritorio y, al voltear, roza la barbilla contra su hombro.

—¿Él te dijo que fuimos amigos?

—Me dijo muchas cosas —aseguro—. Es un chico muy bueno, Jeremiah.

—Es complicado —me dice al levantar la vista hacia el frente del salón.

—¿De verdad? —pregunto—. ¿O tu familia hace que sea así?

Pone una expresión de confusión y, luego, voltea hacia mí como si se estuviera preguntando *¿Quién es esta chica?*

Pienso en lo que dirían mis padres si supieran lo que hizo Caleb, incluso aunque ya hayan pasado tantos años. Por lo que recuerdo, siempre le dieron importancia a pedir perdón y a creer que las personas pueden cambiar. Quiero imaginar que todavía piensan de la misma manera, pero al tratarse de mí y de alguien que me gusta, no estoy muy segura de cómo reaccionarán.

La miro a Heather y me encojo de hombros para pedirle disculpas, pero esta es la única forma de poder hablar con Jeremiah.

—¿Alguna vez hablaste con ellos desde ese entonces? —le pregunto.

—No quieren que esté rodeado de esa clase de problemas —contesta.

Me pone triste, y furiosa, que sus padres, o alguien, consideren a Caleb una *clase* de problema.

—Está bien, pero ¿serían amigos si pudieran?

Dirige la mirada al frente del salón otra vez y el profesor todavía sigue peleando con su computadora.

—Yo estaba ahí, vi toda la situación. Caleb estaba fuera de sí, pero no creo que la hubiera lastimado —dice al voltear hacia mí.

—¿No crees? —pregunto—. Tú *sabes* que no lo habría hecho.

—Yo *no* estoy seguro de eso —agrega—. Y tú no estabas en ese momento.

Sus palabras son muy fuertes. Nunca se trató solo de la familia de Jeremiah, también es él. Y tiene razón, yo no estaba allí.

—Entonces, ninguno de los dos está dispuesto a cambiar, ¿eso es todo?

Heather me da una palmada en el brazo y me siento

derecha en la silla. Durante el resto de la clase, Jeremiah se queda mirando una página en blanco de su cuaderno, sin escribir ni una sola palabra.

No me cruzo con Caleb hasta el final del día, cuando sale acompañado por Luis y Brent de su clase de Matemáticas. Los veo que se dan una palmada en el hombro antes de marcharse en diferentes direcciones. Sonríe al verme y se acerca a saludar.

–Tú sabes, la mayoría de las personas tratan de *huir* de la escuela –señala–. ¿Cómo estuvo tu día?

–Tuvo algunos momentos interesantes –me recuesto sobre la pared del corredor–. Ya sé que nunca usarías la palabra *arduo* en una frase, pero eso es lo que fue en mayor medida.

–Nunca usé esa –responde. Se recuesta sobre la pared junto a mí, toma su móvil y comienza a escribir–. Voy a buscarla más tarde.

Me río y noto que Heather se acerca a nosotros. Detrás de ella, Devon habla por teléfono.

–Vamos al centro –comenta–. Compras. Ustedes dos, ¿quieren acompañarnos?

–Tú decides, yo hoy no trabajo –dice, levantando la mirada hacia mí.

—Está bien —le contesto a Heather y luego volteo hacia Caleb—. Deja que Devon conduzca, así tú puedes buscar tu palabra del día.

—Deja de burlarte o no te compraré tu moca de menta —me amenaza. Luego, con total naturalidad, me toma de la mano y seguimos a nuestros amigos afuera de la escuela.

CAPÍTULO 14

Suelta mi mano para abrir la puerta trasera del auto de Devon. Una vez que subo, la cierra y se encamina hacia el otro lado. Desde el asiento delantero, Heather voltea y sonríe.

–Cállate –surge como única respuesta posible a una situación como esta.

Comienza a mover sus cejas y casi provoca que me ría. Me hace feliz saber que ya no cuestiona la decisión que tomé con Caleb, aunque, quizás, solamente esté feliz porque la acompañamos en su salida con Devon.

–Entonces, ¿qué es lo que vamos a comprar? –pregunta Caleb una vez dentro.

–Regalos de Navidad –contesta Devon, quien enciende el motor y luego mira a Heather–. Eso creo, ¿no es así?

Heather cierra los ojos y apoya su cabeza contra la ventana.

Siento la necesidad de darle algunos consejos a Devon sobre cómo ser buen novio.

–Está bien, pero, ¿a *quién* vas a comprarle los regalos, Devon?

–Seguramente a mi familia –contesta–. ¿Qué me dices tú?

Esto será mucho más difícil de lo que pensé. Por eso, cambio de táctica.

–Heather, si pudieras pedir cualquier cosa para Navidad, lo que sea, ¿qué pedirías?

Heather entiende muy bien lo que estoy haciendo, no es tan distraída como Devon.

–Esa es una muy buena pregunta, Sierra. Tú sabes, nunca fui una persona que pidiera mucho, quizás…

Devon cambia la estación de radio mientras maneja y me esfuerzo por no patear su asiento. Caleb dirige la mirada hacia la ventana aguantándose la risa. Por lo menos, entiende lo que está ocurriendo.

–¿Quizás qué? –le pregunto a Heather, quien mira directo a Devon antes de hablar.

–Algo considerado estaría bien, podría ser pasar un día haciendo algo que me guste mucho, como mirar una película, salir a caminar, o tal vez un picnic en el *Cardinals Peak*. Regalarme algo simple no sería buena idea.

Devon vuelve a mover el dial y ahora sí tengo muchas ganas de golpearlo en su cabeza hueca, pero está manejando y me preocupo mucho por los demás pasajeros.

Caleb se inclina y coloca una mano sobre el hombro de Devon mientras mira a Heather.

–Eso sería grandioso, Heather. Tal vez alguien te pueda dar el mejor día de tu vida.

–¿Me acabas de llamar? –le pregunta Devon a Caleb mirándolo por el espejo retrovisor.

–¡Estamos hablando sobre lo que quiero para Navidad, Devon! –exclama Heather acercando su rostro peligrosamente al de él.

–¿Algo como una de esas velas aromáticas? ¡Te encantan esas! –le dice sonriendo.

–Eres muy observador –comenta recostándose hacia atrás–. Están dispersas por todo mi armario y escritorio.

Con la vista sobre el camino, Devon sonríe y le da una palmada en la rodilla.

Con Caleb comenzamos a reír por lo bajo, pero no nos contenemos por mucho tiempo y estallamos de la risa. Me inclino hacia su hombro mientras me seco algunas lágrimas. Luego de un tiempo, Heather también se ríe… un poco. Incluso, Devon comienza a reír, aunque no imagino por qué lo hace.

Como todos los inviernos, una pareja de ancianos abre su negocio de temporada llamado *Candle Box* en el centro.

Casi siempre se encuentra en una ubicación distinta, en algún local que se encuentre vacío durante las vacaciones. Mantienen su local abierto por el mismo período de tiempo que nuestro lote, con la diferencia de que sus dueños viven aquí durante el resto del año. Las estanterías y el escritorio del lugar están repletos de velas aromáticas decoradas con piñas, brillantina y otro tipo de elementos pegados sobre la cera. En la vidriera del frente, se puede ver cómo se fabrican las velas, lo que provoca que la mayoría de las personas que pasan caminando ingresen al local.

El día de hoy, la señora se encuentra sentada sobre un taburete, rodeada por tubos de cera derretida de varios colores. Una vez más, hunde una mecha en la cera roja y blanca para poder terminar otra vela, que se endurece a medida que realiza el trabajo. Para finalizar, la sumerge en un pocillo con cera blanca y la cuelga desde la mecha con un gancho. Con la cera aún caliente, toma un cuchillo y corta varias franjas para que se vean las distintas capas de blanco y rojo. A unos tres centímetros de la base, coloca un listón de manera ondulada. Repite todo el proceso, cortar con el cuchillo y colocar los listones, por toda la vela.

Podría mirar este trabajo por horas enteras.

Caleb, por el contrario, interrumpe a cada rato mi estado hipnótico.

–¿Cuál te gusta más? –pregunta al levantar dos velas delante de mí. Primero quiere que huela una con la imagen de un coco en su etiqueta, y luego, una de arándanos.

–No lo sé. Ya olí muchas –le contesto–. En este momento, todas me parecen iguales.

–¡De ninguna manera! El aroma de arándano y el de coco no se parecen en nada –replica mientras acerca a mi nariz ambas velas, una por una.

–Busca algo con canela –le digo–. Amo las velas con aroma a canela.

Abre su boca con una expresión de horror en su rostro.

–Sierra, la canela es un aroma para novatos. ¡A todo el mundo le gusta la canela! El punto es avanzar hacia algo más sofisticado.

–Como digas –le digo con una sonrisa de superioridad.

–Seguro. Espera aquí.

No logro volver quedarme hipnotizada mirando el proceso de las velas, ya que Caleb regresa con otra para que huela. Tapa la etiqueta con sus manos, pero puedo ver que la cera es de un color rojo fuerte.

–Cierra los ojos –me dice–. Concéntrate.

Cierro mis ojos otra vez.

–¿A qué huele? –pregunta.

Ahora *sí* me empiezo a reír.

–A alguien que acaba de lavarse los dientes y está frente a mí.

Me da un empujón en el brazo y, con los ojos aún cerrados, inhalo el aroma. Al abrir los ojos, lo miro directo a los ojos. Siento que está tan, tan cerca.

–Dime. Me gusta –mi voz sale como un suspiro.

–Tiene un poco de menta, un poco de árboles de Navidad, un poco de chocolate –me dice y, en la etiqueta, puedo leer: *Una Navidad muy especial*–. Me recuerda a ti.

–¿Quieres que te la compre? –le pregunto luego de humedecer mis labios.

–Es una decisión muy difícil –murmura a pocos centímetros de mi rostro–. Creo que probablemente me volvería loco si enciendo esta cosa en mi habitación.

–¡Chicos! –Devon nos interrumpe–. Con Heather iremos a tomarnos fotos con Santa en el centro comercial. ¿Quieren venir?

Heather seguramente notó lo que estaba ocurriendo entre Caleb y yo, por eso toma a Devon de la mano y lo tira hacia atrás.

–Está bien. Podemos encontrarnos más tarde.

–No, está bien, iremos –le responde Caleb.

Coloca su mano delante de mí y la sujeto. En verdad, me gustaría desaparecer con Caleb en algún lugar sin interrupciones. Pero, en vez de eso, tenemos que ir a tomarnos una foto sobre las piernas de un extraño.

Cuando llegamos al centro comercial, vemos que la hilera se extiende desde la Cabaña de Jengibre de Santa hasta la mitad de la fuente de los deseos, que tiene una escultura de bronce de un oso zambulléndose en el agua.

Devon toma una moneda y, al arrojarla a la fuente, golpea una de las garras del oso.

–¡Tres deseos! –exclama en señal de victoria.

Mientras Devon y Caleb hablan, Heather se acerca a mí.

–Parecía que podrían haber estado más tiempo a solas en la tienda.

–Los placeres de la Navidad –señalo con ironía–. Siempre estás completamente rodeado por familia y amigos.

Una vez que llegamos a la puerta de la cabaña, un muchacho regordete disfrazado de duende guía a Devon y Heather hacia donde se encuentra Santa, quien está sentado en un trono rojo más grande de lo normal. Se sientan juntos sobre su regazo y el hombre, que tiene una auténtica barba blanca, coloca su brazo por encima de ambos como si fueran niños pequeños. Es una situación absurda, pero, de todas formas, tierna. Me recuesto sobre el hombro de Caleb y él coloca un brazo sobre mis hombros.

–Solía disfrutar mucho tomarme fotos con Santa –comenta–. Mis padres nos vestían a Abby y a mí con remeras que combinaban entre sí para usar esa foto en las tarjetas navideñas de la familia.

Me pregunto si esos recuerdos guardan cierto sabor amargo para él.

Me mira a los ojos y coloca un dedo sobre mi frente.

–Veo que te esfuerzas por tratar de entenderlo. Sí, no hay problema en hablar de mi hermana.

Sonrío y vuelvo a recostar mi cabeza contra su hombro.

–Pero gracias de todas formas –me dice–. Me encanta saber que intentas entenderme.

Devon y Heather se dirigen hacia un mostrador donde también hay otro duende atendiendo a la gente. Cuando llega nuestro turno para sentarnos sobre el regazo de Santa, veo que Caleb toma el peine púrpura de su bolsillo y lo pasa por su cabello unas veces.

Un duende con cámara se acerca a nosotros y se aclara la garganta para llamar nuestra atención.

–¿Ya están listos?

–Lo siento –le respondo apartando la mirada de Caleb.

El duende toma varias fotografías. Comenzamos haciendo caras graciosas, pero luego nos inclinamos sobre Santa y colocamos nuestros brazos sobre sus hombros. El señor disfrazado de Santa se suma a todo lo que hacemos, nunca pierde su entusiasmo. Incluso, antes de cada foto hace su clásico "¡Jo, Jo, Jo!".

–Lo lamento si pesamos mucho –le digo.

–Por lo menos no lloraste o te hiciste pis encima –responde–. Eso te pone en el primer lugar de la lista.

Luego de nuestra experiencia con Santa, sigo a Caleb hacia el mostrador para poder ver las fotografías en la computadora. Elegimos la que estamos recostados sobre Santa y compra una copia para los dos. Mientras la imprimen, también pide una foto para su llavero.

–¿En serio? –le pregunto–. ¿Andarás en tu camioneta varonil con una foto de Santa en el llavero?

–En primer lugar, es una foto *nuestra* con Santa –explica–. En segundo lugar, es una camioneta púrpura, lo que te convierte en la primera persona en llamarla *varonil.*

Heather y Devon nos esperan abrazados afuera de la cabaña. Nos dicen que quieren ir a comer algo, entonces los seguimos, pero tengo que llevar a Caleb del brazo para evitar que se choque con alguien mientras pega la fotografía en su llavero. En un momento, me distraigo al verlo tan concentrado deslizando nuestra imagen en algo que verá todos los días, y nos chocamos con una persona.

–Ups. Lo siento, Caleb –se disculpa el chico, al que se le cae el móvil al suelo.

–No hay problema –Caleb levanta el teléfono y se lo devuelve.

Devon se acerca a nosotros mientras caminamos.

–En la escuela, ese chico siempre está con la vista sobre el móvil. Debería intentar levantar la cabeza de vez en cuando –susurra.

–¿Estás bromeando? –pregunta Heather sorprendida–. Eres el menos…

–Es una broma –Devon levanta su mano como si fuera un escudo.

–Estaba hablando con Danielle –agrega Caleb–. Pude ver su nombre en la pantalla.

–¿Todavía? –Heather voltea hacia mí para explicarme–. Danielle vive en Tennessee. La conoció durante el campamento de teatro en el verano y se enamoraron por completo.

–Claro, como si eso fuera a funcionar –agrego.

Caleb entrecierra los ojos al oír eso y hago una mueca de arrepentimiento por mis palabras. Aferro aún más fuerte su brazo, pero él mantiene su mirada hacia adelante. Me siento horrible, pero no puede pensar que realmente existe futuro en una relación a larga distancia, ¿o sí?

Esto que pasa entre Caleb y yo solamente puede acabar de tal manera en la que los dos terminemos heridos. Y ambos sabemos que ese día llegará pronto. Mientras más avancemos en la relación, peor será la herida.

Entonces, ¿qué hago aquí?

Me detengo.

–Saben, debería volver al trabajo.

Heather se detiene delante de mí porque sabe lo ocurre.

–Sierra…

Todos dejan de caminar, pero solamente Caleb es quien se rehúsa a mirarme.

–No los he estado ayudando tanto como debería –argumento–. Y me duele la panza otra vez, así que…

–¿Quieres que te alcancemos? –propone Devon.

–Yo la acompañaré caminando –sugiere Caleb–. También perdí el apetito.

Caminamos en silencio. Debe saber que no me duele la panza porque nunca preguntó si me encontraba bien. Pero, ni bien veo la Administración a lo lejos, sí comienza a doler. No debí decir nada.

–Presiento que todo lo que ocurrió con mi hermana te afecta más de lo que admites –comenta.

–No es para nada eso –le contesto. Me detengo y lo tomo de la mano–. Caleb, no soy la clase de persona que solo le daría importancia a tu pasado de esa manera.

–Entonces, ¿por qué dijiste eso sobre las relaciones a larga distancia? –me pregunta restregando su cabello con la otra mano.

Respiro profundo antes de continuar.

–¿De veras crees que funcionaría para ellos? No quiero sonar cínica, pero cada uno tiene su propia vida, con sus amigos y en ciudades tan distantes. Desde el principio, las probabilidades de que funcione son muy bajas.

–Quieres decir que tampoco funcionará para nosotros –señala.

Suelto su mano y pierdo la vista a lo lejos.

–Conozco a ese chico desde antes de que conociera a Danielle, y estoy agradecido de que esté con ella. Es poco práctico y no la ve todos los días o sale a bailar con ella, pero hablan todo el tiempo –hace una pausa antes de continuar y, por un breve momento, sus ojos se entrecierran–. Realmente no te imaginaba tan pesimista.

¿Pesimista? Ahora sí comienzo a enfurecerme.

–Eso demuestra que no nos hemos conocido por completo.

–No, no lo hemos hecho –replica–, pero te conozco lo suficiente.

– Seguro –no puedo evitar sonar sarcástica.

–Él y Danielle tienen una enorme barrera frente a ellos, pero se las arreglan para superarla –dice–. Estoy seguro de que saben mucho más el uno sobre el otro que la mayoría de las personas. ¿Quieres decir que solamente tienen que prestarle atención al único problema que tienen?

Parpadeo sorprendida al oírlo.

–¿Estás hablando en serio? Tú eres quien evita salir con chicas de aquí porque no quieres hablar de tu pasado. Eso sí es prestarles atención a los problemas.

Puedo ver una expresión de frustración en su rostro.

–Eso no fue lo que dije. Te expliqué que no había estado con alguien tiempo suficiente para descubrir si realmente lo valían o no. Pero creo que tú *sí* lo vales.

Trato de entender lo que acaba de decir.

–¿En serio? ¿De veras crees que lo nuestro es posible?

–Sí –me contesta con una mirada fría que, luego de un rato, se torna amable. Esboza una delicada y sincera sonrisa–. Sierra, me peiné el cabello por ti.

Bajo la mirada y comienzo a reír mientras corro el cabello de mi rostro.

Frota su pulgar por mi mejilla y levanto la mirada hacia él. Contengo el aliento.

–Mi hermana llega este fin de semana –me dice con voz nerviosa–. Quiero que la conozcas. Y también a mi mamá. ¿Te gustaría?

Lo miro directamente a los ojos para contestarle:

–Sí.

Esa única palabra me hace sentir como si estuviera respondiendo docenas de preguntas que ya no hacen falta enunciar.

CAPÍTULO 15

Una vez que regreso a la caravana, me desplomo sobre la cama. Apoyo sobre la mesa nuestra foto con Santa y la miro de costado con la cabeza sobre la almohada del suéter feo.

Me levanto y coloco la imagen junto a los portarretratos de mis amigas. Primero, se la muestro a Elizabeth y trato de imitar su voz.

—¿Por qué estás haciendo esto? Estás allí para vender árboles y salir con Heather.

—Lo he hecho, pero… —respondo.

Vuelvo a cambiar mi voz a la de Elizabeth.

—Esto no puede llegar a ningún lado, Sierra, no importa que él haya dicho que deben pensar que es posible.

—No lo sé, chicas. Tal vez podría funcionar.

Muevo la imagen hacia el portarretrato de Rachel. Lo primero que hace es chiflar y apuntar hacia su hoyuelo.

–Lo sé –digo–. Créanme, eso no lo hace más sencillo.

–¿Qué es lo peor que puede ocurrir? –pregunta–. Que termines con el corazón roto, ¿y? Eso ocurrirá de todas formas.

Me vuelvo a recostar sobre mi cama y abrazo la imagen de Caleb contra mi pecho.

–Lo sé.

Salgo de la caravana para ver si necesitan ayuda en la Administración. No hay mucho trabajo, por lo que me preparo un chocolate caliente en mi taza de Pascuas y regreso a la caravana para hacer las tareas de la escuela. Al pasar por los abetos de Fraser más altos de nuestro lote, veo a Andrew colocar una manguera entre ellos. Luego del episodio de la otra vez, decido ser amable para cuidar el clima del trabajo.

–Gracias por encargarte del riego –le comento–. Lucen muy bien.

Andrew me ignora por completo. Gira la boca de la manguera y comienza a regar los árboles. Al menos, lo intenté.

De vuelta en la caravana, tomo mi computadora y reviso un capítulo del borrador que escribí anoche. Al revisar mi correo electrónico, veo un mensaje de *Monsieur* Cappeau en el que me expresa que está molesto porque olvidé llamarlo. Reprogramo la conversación para otro día y apago todo.

Me asomo por detrás de las cortinas y veo que papá se acerca a Andrew haciéndole señas para que le pase la manguera. Le explica la manera en la que debe regar los árboles y se la devuelve. Andrew asiente y papá sonríe al darle una palmada en el hombro. Se retira hacia nuestro pequeño bosque de árboles y veo que Andrew, en lugar de continuar con el riego, mira hacia la caravana por un breve momento.

Rápidamente, salgo de la ventana y cierro la cortina.

Decido hacer la cena para la familia, por lo que comienzo a cortar los vegetales que compré en la tienda de McGregor y los coloco dentro de una olla grande con agua. Mientras se cocinan a fuego lento, veo que entra al lote otro camión repleto de árboles. El tío Bruce se baja del vehículo y viene hacia la caravana, mientras algunos de nuestros empleados trepan a la parte trasera del camión para comenzar a bajar los árboles.

–¡Vaya, huele delicioso aquí dentro! –me da un fuerte abrazo al verme–. Allí afuera, huele a savia de árbol y a chicos adolescentes.

Me pide permiso y entra al baño. Mientras tanto, reviso la sopa y le echo algunas especias antes de revolverla con un cucharón de madera. Mi tío se acerca para probarla y regresa a trabajar con los árboles. Me recuesto sobre la mesada y observo la puerta cerrarse detrás de él. Estos momentos son los que me hacen querer hacer esto por el resto de mi vida. El día que mis padres estén muy viejos, quedará en mis manos decidir el destino de nuestra granja y, también, si seguiremos o no manejando algún lote.

Una vez que terminaron de descargar todos los árboles, papá comienza a dirigir a los demás empleados, mientras mamá y el tío Bruce vienen hacia la caravana para acompañarme. Están tan emocionados por la sopa que nadie me felicita por el trabajo de hacerla. Por la manera en que la toman, parecen lobos desesperados que no comieron nada por varios días.

Mientras se sirve otro plato, mi tío nos cuenta que la tía Penny recubrió de luces todo su árbol sin probarlas primero. "¿Quién hace eso?", pregunta.

Cuando finalmente las encendió, muchas de las luces no funcionaban y ahora tienen un árbol la mitad de brillante de lo que podría haber sido.

Luego de que mi tío se marcha para ayudar a papá, mamá va a su pequeña habitación para tomar una breve siesta antes del anochecer. Papá entra a la caravana y le sirvo un plato de sopa. Se queda de pie junto a la puerta, muy agitado, como si quisiera hablar conmigo sobre algo, pero sacude la cabeza y se encamina a su habitación.

Al día siguiente, le devuelvo la llamada a Rachel.

—¡No vas a creer lo que sucedió! —exclama.

—¿Un actor vio tu publicación sobre el baile de invierno y aceptó la propuesta?

–Oye, algunas veces funciona, sirve para promocionarlo, todavía tengo esperanzas –comenta–. Pero esto es mejor.

–¡Entonces, habla!

–La chica de *Un cuento de Navidad*, la que hacía del Fantasma de la Navidad pasada, tiene mononucleosis. O sea, ya sé que no es nada bueno para ella. Pero la voy a reemplazar, ¡lo que sí es bueno para mí!

–Al menos reconoces que tener esa enfermedad no es bueno –le digo riendo.

–Lo sé, lo sé, pero es mono, no cáncer. De todas formas, sé que no hay mucho tiempo, pero la noche del domingo es la única función que todavía no se agotó.

–Quieres decir… ¿mañana? –le pregunto sorprendida.

–Estuve averiguando y puedes tomar el tren a la medianoche…

–¿Esta noche?

–Llegarías con tiempo de sobra –acota.

Me habré quedado sin decir nada por un largo rato porque Rachel me pregunta si todavía estoy aquí.

–Preguntaré –le contesto–, pero no prometo nada.

–No, seguro –responde–, pero inténtalo. Quiero verte. Elizabeth también. Si quieres, puedes quedarte en mi casa, ya les pregunté a mis padres y no tienen problema. Además, puedes contarnos todo lo que sucede con Caleb. Has estado muy callada sobre ese tema…

–Ya tuvimos la charla sobre lo que ocurrió con su hermana –le explico–. Creo que me contó todo.

–Entonces, ¿supongo que no es un psicópata de los cuchillos?

–No le he contado a nadie porque es un poco complicado –le respondo–. No estoy muy segura de cómo me siento, o incluso, cómo me quiero sentir.

–Suena muy confuso –expresa Rachel–. Debe ser mucho más confuso pensarlo.

–Ahora que sé que no está mal que me guste –agrego–, estoy preocupada por si es lo correcto. Solo me quedan unas pocas semanas aquí.

–Mmm… –escucho a Rachel golpear su teléfono con un dedo–. Suena a que no quieres olvidarlo cuando te marches.

–A esta altura, ya no creo que eso sea posible.

Luego voy hacia la Administración, donde mamá cuelga las nuevas coronas navideñas. Lleva puesto un delantal verde oscuro que tiene la inscripción "Siente el aroma de la Navidad". El año pasado, le regalamos ese delantal a papá. Siempre le compramos algo cursi para esta fecha, antes de ir a casa en donde están los verdaderos regalos.

La ayudo a acomodar algunas ramas dentro de la corona navideña y le comento la idea de Rachel.

–¿Puedo tomar el tren para ir a ver a Rachel actuar como el Fantasma de la Navidad pasada el domingo?

Mamá queda congelada mientras acomoda el adorno.

–Me pareció escuchar que decías algo acerca de Rachel y un fantasma, o…

–Es muy sobre la hora –le comento–, lo sé. Este fin de semana estaremos muy ocupados aquí. No es necesario que vaya si es un problema.

No le mencioné que, en realidad, no quiero ir. No me gustaría perder dos días sola en un tren cuando podría aprovecharlos para pasar tiempo con Caleb.

Se acerca a una caja de cartón cerrada sobre el mostrador y la abre con un cortante.

–Hablaré con tu padre –me dice–. Quizás podamos llegar a un acuerdo.

–Oh…

De la caja toma varios paquetes blancos más pequeños con guirnaldas plateadas y me los entrega para colocarlos en el estante por debajo de las coronas navideñas.

–Algunos empleados nos han pedido trabajar más tiempo –me comenta–. Podemos contratar a alguien más por algunos días mientras tú no estés aquí.

Guarda la caja vacía debajo del mostrador y se limpia las manos en su delantal.

–¿Puedes encargarte de la caja registradora por un momento?

Eso significa que irá a hablar con papá.

–En realidad –le digo cerrando los ojos–, no quiero ir.

Sonrío con los dientes apretados y mamá suelta una pequeña risa.

–Entonces, ¿por qué preguntaste?

–Porque creí que dirías que no, que me necesitarías

aquí. Pero le había prometido a Rachel que preguntaría –le respondo pasando una mano por mi rostro.

–Cariño, ¿qué ocurre? Tú sabes que tu padre y yo estamos muy contentos de tenerte aquí ayudándonos, pero nunca querríamos que hagas a un lado tu vida por el negocio familiar –me dice con tranquilidad.

–Pero de eso se trata, de un negocio *familiar* –respondo–. Algún día podré manejarlo por mi cuenta.

–Nos encantaría que así sea, claro –afirma mamá y me toma de las manos para abrazarme; luego se aleja para mirarme a los ojos–. Pero, por lo que veo, no se trata solo del negocio familiar o de una obra de teatro.

–Rachel es muy importante para mí, tú lo sabes. Si bien el Fantasma de la Navidad pasada no tiene ningún diálogo, me encantaría verla. Aunque… bueno… Caleb me pidió que conociera a su familia este fin de semana –confieso sin mirarla a los ojos.

Mamá trata de estudiar mi expresión.

–Si fuera tu papá, te estaría comprando el boleto para el tren ahora mismo.

–Ya lo sé –admito–. ¿Estoy actuando como una tonta?

–Lo que sientas no te hace tonta –me contesta–. Pero necesito aclararte algo, tu padre está un poco preocupado por lo que ocurre con Caleb.

–¿Puedes decirme por qué? –le pregunto frunciendo el ceño.

–Le dije que debemos confiar en ti –señala mamá–,

pero tengo que aclarar que yo también estoy un poco preocupada.

–Mamá, dime –le pido con algo de ansiedad mientras busco su mirada–. ¿Andrew dijo algo?

–Habló con tu padre –comenta–. Y tú también deberías hacerlo.

–¡Pero es *Un cuento de Navidad*! –exclama Rachel.

Me recuesto sobre la cama con el teléfono sobre mi oreja y una mano en la frente. La foto de Rachel en la que aparenta esconderse de los paparazzi cuelga sobre mí como si me estuviera mirando.

–No es que no quiera verte –le aclaro. Podría haberle dicho que mis padres no me dejan ir, pero siempre fuimos honestas entre nosotras.

–Entonces, ¡súbete al tren! –me ordena–. Juro que si todo esto es por ese chico…

–Su nombre es Caleb. Y, sí, es por eso. Rachel, se supone que este fin de semana conoceré a su familia. Luego de eso, solo nos quedan pocos días antes de que… –escucho un golpe–. ¿Estás ahí?

Estrello el teléfono contra la mesa, me cubro la boca con la almohada y grito. Luego decido enfrentarme a papá y saber qué le dijo Andrew.

Salgo de la casa rodante y lo veo llevando un árbol hacia un automóvil.

—No, hay mucho trabajo que hacer esta noche —me dice con un tono frío como si todavía no estuviera listo para hablar—. Con tu madre tenemos que revisar las ventas, y… No, Sierra, no puedo.

Cuando Heather me llama para ver si podemos juntarnos a hornear galletas esta noche con los chicos, ni siquiera les pido permiso a mis padres. Mamá me ha dicho que no haga a un lado mi vida personal por el negocio familiar. Por eso, cuando Devon aparece en el lote, simplemente les digo que me voy y me subo al automóvil.

Entramos al estacionamiento del supermercado y Caleb se inclina hacia adelante para pedirle a Devon que estacione lejos del lote de árboles de los Hopper, así evita tener que explicarles por qué no los visitó más.

—Deberías comprarles a ellos también —le señalo—. La familia Hopper me cae realmente bien. Aunque me vería obligada a rescindirte el descuento…

—Sierra, creo que le deberás explicar lo que significa *rescindir* —acota Heather riendo.

—Ja, ja, ja, muy graciosa —comenta Caleb—. Sé lo que significa… en contexto.

Mi teléfono suena y veo que he recibido un mensaje de Elizabeth. Cubro la pantalla con una mano para leerlo. Me dice que comience a considerar quiénes serán mis amigas de ahora en adelante. Obviamente, Rachel la llamó una vez que me colgó el teléfono. Recibo un segundo mensaje, también de Elizabeth, en el que expresa que se siente decepcionada conmigo por preferir a un chico que apenas conozco.

—¿Todo en orden? —pregunta Caleb.

Apago el teléfono y lo guardo en el bolsillo.

—Solo unos problemas en Oregon —contesto.

Esos mensajes fueron muy agresivos, incluso para ser de Elizabeth. ¿De verdad creen que fue una decisión fácil? ¿O que Caleb no puede interesarme? No es fácil y no me voy a convertir en una de esas chicas. Estoy aquí por poco tiempo y no quiero perder varios días que podría pasar con él.

Salimos del vehículo y Caleb se levanta el cuello de su abrigo de manera exagerada para que el Sr. Hopper no lo vea. Si bien estamos demasiado lejos como para eso, hago lo mismo y entramos corriendo a la tienda.

Heather dobla la lista de compras a la mitad y la corta por el doblez. Nos entrega una parte a Caleb y a mí, y ella guarda la otra antes de tomarse del brazo con Devon. Acordamos encontrarnos en la caja número ocho una vez que hayamos terminado. Con Caleb nos dirigimos hacia la sección de lácteos en el fondo de la tienda.

—Parecías molesta cuando te pasamos a buscar —pregunta Caleb—. ¿Está todo bien?

Lo único que puedo hacer es encogerme de hombros. Nada está bien. Rachel está furiosa porque no puedo ir a verla actuar en la obra, y papá se pondrá molesto cuando se entere de que estoy aquí.

–¿Eso es todo? ¿Ese gesto? –pregunta Caleb–. Gracias, te acabas de sacar un diez en el taller de conversación.

Ahora, por no querer hablar de eso mientras estamos de compras, Caleb está molesto conmigo, tanto que camina varios metros delante de mí. Sin embargo, una vez que llegamos a los refrigeradores de los lácteos, se detiene y me toma de la mano.

Sigo su mirada hasta que veo a Jeremiah guardando un bidón de leche en su carrito de compras. Una señora, que probablemente sea su madre, voltea con el carro y quedamos todos enfrentados. La miro detenidamente y la reconozco. Hace unos días visitó el lote y, cuando me acerqué para ofrecerle ayuda, balbuceó algo sobre los precios y se marchó sin comprar nada.

Jeremiah sonríe amablemente, pero su mamá comienza a avanzar para evitarnos.

–Caleb –dice sorprendida, en lugar de decir "Hola". Su voz suena un poco nerviosa e inquieta.

–Hola, Sra. Moore –Caleb, en cambio, le responde con total tranquilidad y antes de que se pueda marchar, agrega–. Ella es mi amiga Sierra.

La Sra. Moore me mira mientras intenta pasar con su carrito.

–Un gusto conocerte, querida.

Le clavo la mirada en los ojos.

–Mis padres son los dueños de uno de los lotes de árboles de Navidad –me ubico cerca y ella detiene el carrito–. Creo haberla visto hace poco.

Puedo ver que esboza una sonrisa nerviosa y mira a Jeremiah.

–Lo que me recuerda que todavía debemos conseguir el nuestro.

Siento la tensión en la mano de Caleb, pero hago mi mejor esfuerzo para ignorarlo y continuar con la conversación. Sigo caminando al lado del carrito mientras arrastro a Caleb conmigo.

–Vuelva a pasar –le comento–. Mi tío acaba de traer un nuevo cargamento. Están realmente frescos.

La Sra. Moore vuelve a mirar a Caleb con menos frialdad y voltea hacia mí para responderme.

–Tal vez lo hagamos. Fue un gusto conocerte, Sierra –se adelanta, y Jeremiah la sigue por el pasillo.

Caleb se queda con la mirada perdida. Le aprieto el brazo para mostrarle que aún sigo aquí y también para pedirle disculpas si forcé la situación. Ahora una cosa es segura, él y Jeremiah nunca habrían dejado de ser amigos.

Antes de que pueda expresarle todo esto, oigo una voz furiosa detrás de nosotros.

–Mi hermano no necesita tus problemas, Caleb. Él es bueno.

Al voltear, veo a la hermana de Jeremiah parada con una mano en la cintura a la espera de que Caleb reaccione, pero él no dice nada. Cuando veo que baja la mirada, doy un paso adelante.

–¿Cuál es tu nombre? –pregunto–. Cassandra, ¿verdad? Óyeme bien, Cassandra, Caleb también es bueno. Tú y tu hermano deberían entender eso.

Lo mira a Caleb, probablemente, preguntándose por qué no se defiende por su cuenta. Inclino la cabeza, lista para preguntarle lo mismo sobre Jeremiah.

–No te conozco –me dice confundida–, y tú no conoces a mi hermano.

–Pero sí conozco a Caleb –afirmo.

–Él no se involucrará en eso. No otra vez –me dice mientras sacude la cabeza antes de marcharse.

Vuelvo a presionar la mano de Caleb cuando Cassandra desaparece de nuestra vista.

–Lo siento –le susurro–. Sé que te puedes defender solo, pero, simplemente, no lo pude controlar.

–La gente creerá lo que quiera creer –señala. Una vez terminado el enfrentamiento, puedo ver cómo la tranquilidad vuelve a su rostro. Con el correr de los años, se ve que aprendió a dejar que estos momentos no ganen importancia–. Entonces, ¿te diste el gusto? –me dice con una sonrisa.

–Ya me estaba preparando para golpearla –declaro.

–Ahora sabes por qué no solté tu mano.

Heather y Devon aparecen por detrás de nosotros, traen una canasta con huevos, paquetes de glaseado y chispas de colores para decoración.

–¿Podemos ir a hornear galletas ahora? –pregunta y mira nuestras manos–. ¿Dónde está lo que tenían que buscar? ¡No eran muchas cosas!

Luego de recoger las demás cosas, nos encaminamos hacia la caja para pagar. Jeremiah, su madre y Cassandra se encuentran a dos cajas de nosotros. Pareciera que ninguno de ellos notara nuestra presencia, pero la forma en que miran hacia todos lados *menos* hacia donde estamos nosotros lo dice todo.

–¿No te molesta que ni siquiera te mire? –le pregunto a Caleb.

–Claro que sí –contesta–. Pero es mi culpa, así que, no importa.

–¿Estás bromeando? –pregunto sorprendida–. Son ellos tres quienes...

–Por favor –me interrumpe–. Ya no importa.

Dejo que Caleb, Heather y Devon coloquen las cosas sobre la cinta transportadora mientras yo miro a la familia de Jeremiah. La Sra. Moore levanta la vista y me mira dos veces al notar que la estoy observando.

–¡Pasen mañana! –grito–. Les estamos haciendo un descuento a nuestros amigos y familiares.

Cassandra entrecierra los ojos, pero mantiene su boca cerrada. Caleb pretende estar ocupado con el estante de gomas de mascar y Devon me mira confundido.

–¿Me haces un descuento a mí?

Por la mañana, me sorprendo al ver que Jeremiah se encuentra en el lote con Cassandra. Parece que recién se acaba de levantar, ya que tiene puesto unos pantalones deportivos, una sudadera y una gorra de visera. Ella, por el contrario, parece que se levantó justo a tiempo con la alarma, tomó el desayuno con café, se peinó y maquilló, y luego despertó a su hermano.

Jeremiah se queda viendo algunos árboles mientras Cassandra se encamina hacia la Administración.

—Asumo que vinieron por el descuento —me adelanto.

—Mi mamá no nos habría dejado pasar la oportunidad —se queja y estoy segura de que Cassandra no quería venir.

—De nada —le digo.

Baja la cabeza un poco, pero aún continúa mirándome a los ojos.

—Entonces, ¿por qué nos ofreciste el descuento?

—Honestamente, esperaba que tus padres aparecieran para poder hablar con ellos.

—¿Qué podrías decir que ya no se haya hablado? —me dice cruzándose de brazos.

—Que Caleb nunca habría lastimado a nadie —señalo—. Creo que eso aún no se habló.

—¿De veras crees eso?

—Completamente.

–Tienes que estar bromeando. ¡Jeremiah lo vio perseguir a su hermana con un cuchillo! –Cassandra comienza a reír.

–Lo sé. Pero también sé que se arrepiente de eso todo el tiempo –le explico–. Tiene que vivir con eso todos los días, incluso su familia tiene que soportarlo.

Cassandra baja la mirada y comienza a sacudir la cabeza de lado a lado.

–Mis padres nunca aceptarán que…

–Lo entiendo, pero quizás estén exagerando eso de la protección –la interrumpo–. Mi papá le ordena limpiar los baños químicos a todo aquel que me mire con alguna intención.

–Esto es un poco diferente a simplemente coquetear con alguien. Lo sabes, ¿verdad?

Detrás de ella, puedo ver que Jeremiah entra a la Administración. Tiene una etiqueta de un árbol en su mano, pero se mantiene distante.

–Tampoco creo que solo sea culpa de tus padres –aclaro–. Jeremiah y Caleb solían ser mejores amigos y deberían seguir siéndolo. Nunca tuvieron oportunidad de conversar sobre lo que pasó antes de que les prohibieran verse.

Se comienza a mirar las uñas y espero una respuesta que nunca llega. Por lo menos, todavía está aquí.

–Deberías verlo en la escuela –agrego–. Todo lo que hace prueba quién es realmente. ¿Sabías que les regala árboles de Navidad a las familias que no pueden comprar uno? ¿Sabes por qué lo hace? Porque las hace feliz.

Finalmente, me mira directo a los ojos.

–¿O lo hace porque arruinó su propia familia?

Eso sí dolió.

–No debería haber dicho eso –me dice al bajar la mirada y cerrar los ojos.

En este punto, ya no sé qué responderle. De cierto modo, tiene razón. Caleb no regala los árboles para ganar estrellas doradas, sino que lo hace para poder estar en paz y compensar su error.

Jeremiah se acerca y coloca una mano sobre el hombro de su hermana.

–¿Todo tranquilo por aquí?

Cassandra voltea hacia él.

–¿Qué tal si lo hace de nuevo, Jeremiah? ¿Qué tal si alguien provoca que se descontrole cuando tú estás con él? ¿Crees que evitarás involucrarte en eso?

–Cometió un error y ya ha pagado por eso –sostengo–. Todo esto aún lo lastima. ¿Disfrutas ser parte de eso?

–Mamá nunca lo permitiría –dice con los ojos puestos en su hermano.

Jeremiah vuelve la mirada hacia mí.

–Tú crees que lo conoces –me dice sin mala intención.

–Claro que sí –respondo–. Sé quién es ahora.

–Lo siento –responde Cassandra, quien mira a su hermano y luego a mí–. Sé que quieres que la situación sea diferente, pero siempre pondré a mi hermano primero.

Voltea y se marcha de la Administración.

CAPITULO 16

Observo a Cassandra y Jeremiah subirse a su automóvil, en el cual llevan un árbol con el precio rebajado. Jeremiah tiene su brazo afuera de la ventanilla del lado del acompañante y esboza un saludo con su mano mientras se alejan del lote.

Luce igual que yo, pero una parte de mí aún tiene esperanzas de que la conversación continúe. Algún día, quizás alguien escuche.

–¿Qué fue todo eso? –pregunta mamá.

–Es complicado –le contesto.

–¿Qué es? ¿También se trata de Caleb?

–¿Podemos no hablar de esto? –le pido.

–Sierra, necesitas hablar con tu padre –me señala–. Le sigo diciendo que confíe en ti, pero si no te abres con él, lo dejaré de hacer. Andrew le contó…

—No me importa lo que haya dicho —la interrumpo—. Y a ti tampoco debería importarte.

—Esa actitud defensiva me preocupa, Sierra. ¿Realmente sabes en lo que te estás metiendo? —me dice con los brazos cruzados sobre el pecho.

Cierro los ojos y exhalo.

—Mamá, ¿cuál dirías que es la diferencia entre información relevante y un rumor?

Piensa en esto por un momento antes de hablar.

—Diría que si le cuentas algo a aquellas personas que no están involucradas de manera directa en el asunto, se trata de un rumor.

Me muerdo el labio inferior.

—La razón por la que te lo quiero contar a ti es porque no quiero que juzgues a Caleb en base a lo que haya dicho Andrew, porque te aseguro que no lo dijo para nuestro beneficio. Lo hizo para lastimar a Caleb y así tener una chance conmigo.

Ahora sí noto que se altera un poco.

—Esa suena a otra historia que deberías contarme.

Me pide que vaya a buscar a papá mientras consigue a alguien para atender la caja.

En el estacionamiento, papá y Andrew cargan otro árbol en el automóvil de una señora. Mitad del árbol se asoma fuera de la cajuela, por lo que se ven obligados a sujetar con cuerdas la puerta para que no se abra. La señora le ofrece a papá una propina, pero él le hace señas para que se la entregue a Andrew. Una vez que toma el dinero, sigue a papá hacia adentro del lote.

–Hola, cariño –papá saluda y se detiene enfrente de mí junto con Andrew.

Miro a Andrew y le hago una seña sobre mi hombro.

–Tú sigue trabajando.

Andrew se marcha con una sonrisa malvada en el rostro. Sabe que ha causado problemas. Supongo que eso es lo que uno hace cuando te gusta alguien a quien tú no le gustas.

–Sierra, eso no era necesario –protesta papá.

Me contengo de suspirar.

–Por eso es que necesitamos hablar.

Comenzamos a caminar lejos del lote con mamá y papá por el *Oak Boulevard*. Los automóviles pasan y, cada cierto tiempo, un ciclista pasa pedaleando a nuestro lado. Respiro profundo mientras balanceo los brazos hacia adelante y atrás a medida que me armo de valor para iniciar la conversación. Una vez que tomo la iniciativa, veo que todo comienza a fluir de manera natural y ninguno de los dos me interrumpe en ningún momento. Les cuento todo lo que sé acerca de Caleb, sobre su familia, Jeremiah, y lo que hace con los árboles. Por alguna razón, me toma mucho más tiempo contar toda la historia de lo que le tomó a Caleb cuando me la contó a mí. Tal vez sea porque siento la necesidad de agregar mucha más información sobre cómo es Caleb ahora.

Una vez que finalizo, papá frunce el ceño con mayor intensidad.

—Cuando supe que Caleb atacó a su…

—¡Él no la atacó! —lo interrumpo—. Solo la persiguió, nunca la habría…

—¿Y tú quieres que me quede tranquilo con eso? —agrega—. Fue muy difícil dejarte pasar tiempo con ese chico luego de que oí lo que hizo, pero confiaba en ti. Creía que tenías sentido común, Sierra, pero ahora me preocupa que no le des importancia a algo tan…

—Estoy siendo honesta contigo —añado—. ¿Eso no cuenta para nada?

—Cariño —interviene mamá—, *tú* no lo contaste primero. Fue Andrew quien lo hizo.

—Nuestra hija está saliendo con un chico que atacó… —voltea hacia mamá y levanta una mano para evitar que lo corrija—, un chico que persiguió a su hermana con un cuchillo.

—Entonces, ¿no lo perdonarán? —pregunto—. Acabas de arruinarlo una vez más, no cambiarás jamás.

—Eso no es… —me señala con un dedo.

—Sierra, estamos aquí solo por una semana más. Si esto hace que tu padre no se sienta cómodo, ¿es necesario que continúe? —interrumpe mamá, y yo dejo de caminar.

–¡Ese no es el punto! No conocía a Caleb cuando ocurrió todo y tú tampoco. Pero en verdad me gusta como es ahora y ustedes deberían darle la oportunidad.

Ambos se detienen, pero papá dirige la mirada hacia la calle con los brazos cruzados.

–Disculpa por no permitir que mi única hija salga con un chico que tiene antecedentes de violencia.

–Si no supieras nada sobre su pasado y solo conocieras cómo es ahora –le contesto–, estarías rogando que me case con él ahora mismo.

Mamá abre la boca sorprendida. Sé que llevé todo muy lejos, pero mi frustración aumenta cada segundo que pasa.

–Tú conociste a mamá mientras trabajabas en este mismo lote –agrego–. ¿Crees que tu forma de reaccionar es porque tienes miedo de que eso ocurra conmigo?

Mamá se lleva las manos al corazón.

–Te aseguro que nunca pensé eso.

Papá, en cambio, sigue con la mirada en la calle, pero noto un gesto en los ojos al escuchar eso.

–Y yo puedo asegurarles que mi corazón acaba de detenerse.

–Odio todo esto –señalo–. Desde hace tanto tiempo, la gente solo lo conoce como esta… *cosa*. Y prefieren creer lo peor sin primero hablarlo con él. O, simplemente, perdonarlo.

–Si hubiera *usado* el cuchillo –responde mamá–, no habría forma de que nosotros siquiera…

–Lo sé –la interrumpo–. Yo tampoco lo haría.

Con cada automóvil que pasa, pienso si me los gané o los perdí por completo.

–Pero me criaron con la idea de que todos pueden cambiar para mejor –afirmo.

–Y no sería correcto hacer que dejes de creer eso –me dice papá con la mirada perdida en la distancia.

–Claro.

Mamá toma la mano de papá y se miran el uno al otro. Sin decir una palabra, ambos acuerdan. Finalmente, voltean hacia mí.

–Sin conocerlo tanto como tú lo conoces –comienza a decir papá–, estoy seguro de que te habrás dado cuenta de por qué lo que ocurrió con su hermana nos hace sentir tan incómodos. Y me encantaría poder darle una oportunidad, pero es difícil entender por qué ahora, cuando dentro de dos semanas ya no estaremos aquí...

No lo dirá, pero estoy segura de que quiere saber por qué no puedo abandonar algunas cosas de un momento a otro. ¿Por qué preocuparlos?

–No hay ninguna razón para preocuparse –aseguro–. Tú lo dijiste, yo *sí* lo conozco. Y ustedes saben que me enseñaron a ser cuidadosa con este tipo de cosas. No es necesario que confíen en él, simplemente no lo juzguen. Pero confíen en mí.

–¿Realmente es necesario involucrarse tanto con un chico? –papá suspira.

–Al parecer, ya lo ha hecho –le dice mamá, tranquila.

Papá baja la mirada y observa su mano sujetando la de mamá. Luego vuelve la vista hacia mí, pero solo la mantiene por unos segundos. Suelta la mano de mamá y comienza a caminar de vuelta al lote.

Con mamá lo miramos desde atrás.

–Creo que ya hemos dicho todo lo que sentimos –señala y aprieta mi mano y no la suelta hasta llegar al lote.

Cada vez que le doy a Caleb el beneficio de la duda, él demuestra que lo merece. Cada vez que lo defiendo, sé que estoy haciendo lo correcto. Hay miles de razones por las que podría renunciar a todo, pero no lo hago, y pongo el mayor esfuerzo para que lo nuestro funcione.

Esa noche me toma mucho tiempo prepararme para la cena con la familia de Caleb. Me cambié de ropa unas tres veces para terminar escogiendo unos jeans y un suéter de lana color crema, que claro está, fue lo primero que me probé. Cuando oigo que golpean la puerta, me aparto un mechón de cabello que cae sobre mi rostro y me miro al espejo por última vez. Abro la puerta y me encuentro con Caleb sonriendo. Tiene puesto un jean azul oscuro y un suéter negro con una raya gris a la altura del pecho.

Comienza a decir algo, pero se detiene para mirarme. Si continúa haciéndolo por otro segundo más, necesitaré que por lo menos diga *algo*.

–Luces hermosa –susurra.

–No es necesario que lo digas –le digo sintiéndome enrojecer.

–Claro que sí –me responde–. No importa si quieres aceptar el cumplido o no, luces hermosa.

Lo miro a los ojos y sonrío.

–De nada –agrega y estira su mano para ayudarme a bajar y dirigirnos hacia su camioneta. No veo a papá, pero mamá está ayudando a un cliente con unos árboles. Cuando levanta la vista, le hago una seña para que sepa que me voy.

Andrew repone la red en la máquina para envolver árboles y puedo sentir que nos sigue con la mirada mientras caminamos por el lote.

–Espera un segundo –le digo a Caleb.

Voltea para ver a Andrew, quien ahora nos mira sin disimulo.

–Simplemente, vámonos –me dice–. Ya no importa.

–A mí sí me importa –le aclaro.

Caleb suelta mi mano y se dirige hacia su camioneta. Al subir, lo veo cerrar la puerta de un golpe y espero por un momento para asegurarme que no se marche. Me hace señas impacientemente para que haga lo que tenga que hacer, entonces, volteo y me dirijo hacia donde se encuentra Andrew.

Él sigue trabajando con las redes y no me mira cuando me acerco.

—¿Noche de cita?

—Ya hablé con mis padres sobre Caleb —le comento—. Claro, no tuve oportunidad de decírselo cuando yo quería, sino cuando tuve que hacerlo… por tu culpa.

—Aun así, te dejan salir con él —señala resignado—. Vaya que sí son buenos padres.

—Porque confían en mi —le aclaro—, como deberían.

Me mira a los ojos y puedo ver que acumula mucho odio dentro de sí.

—Tienen derecho a saber que su hija está saliendo con… sea lo que él sea.

Comienzo a sentirme furiosa.

—Ese no es tu problema —le señalo—. *Yo* no soy tu problema.

Caleb se acerca y me toma por la mano.

—Sierra, vamos.

Andrew nos mira a ambos con asco.

—A donde sea que vayan, espero que no pidan algo que necesite cortarse con cuchillos. Por el bien de ambos.

De repente, Caleb suelta mi mano.

—¿Qué? ¿Cómo que no haya ningún cuchillo? —pregunta enfadado—. Muy listo.

Veo que papá se asoma entre dos árboles para mirarnos. Mamá se acerca a él, preocupada, sacudiendo la cabeza de lado a lado.

Puedo notar que Caleb tensa su mandíbula y dirige la vista hacia otro lado, como si estuviera a punto de explotar y golpear a Andrew en cualquier momento. Mi parte furiosa también quiere eso, pero necesito que Caleb se mantenga tranquilo. Quiero saber que lo puede hacer y que mis padres lo vean.

Aprieta sus dedos y se frota la nuca con fuerza. Se queda mirando a Andrew, pero nadie dice nada. Puedo ver que está un poco asustado con una mano sobre la red, como si fuera lo único que le permitirá alejarse rápidamente. Al notar la expresión de temor de Andrew, el rostro de Caleb pasa de estar enojado a mostrar una mueca de arrepentimiento. Vuelve a tomar mi mano y caminamos hacia la camioneta.

Nos quedamos en silencio durante varios minutos mientras nos calmamos. Siento que debería decir algo, pero no sé por dónde comenzar. Finalmente, Caleb enciende el motor.

El lote desaparece a lo lejos por el espejo retrovisor y Caleb rompe el silencio al contarme que recogió a Abby de la estación de tren hace tres horas. Me mira y sonríe.

–Está muy ansiosa por conocerte.

Me doy cuenta de que Caleb no me ha contado mucho sobre la relación que tiene con su hermana. ¿Está mejor ahora que vive con su padre? ¿Todavía sigue habiendo momentos de tensión cada vez que lo visita?

–Mi mamá también está muy ansiosa por conocerte

–agrega–. Me ha estado preguntando por ti desde que te conocí.

–¿De veras? –no puedo evitar sonreír al escuchar eso–. ¿Desde que nos conocimos?

Se encoge de hombros como si no fuera de gran importancia lo que acaba de decir, pero su sonrisa lo delata.

–Tal vez le mencioné algo de una chica en el lote luego de que compré nuestro árbol.

Me pregunto qué es lo que le habrá contado de mí mientras trato de ocultar mi fascinación por sus hoyuelos.

Su casa se encuentra a tres minutos de la carretera. A medida que nos acercamos, siento que se pone muy nervioso. No sé si es por su hermana, su madre o por mí, pero, cuando estacionamos en el borde de la acera, está hecho un desastre. La casa tiene dos pisos, pero es pequeña. Puedo ver un árbol de Navidad cerca de la ventana principal, iluminado por luces de colores y con una estrella dorada en la punta.

–El punto es que –comenta–, nunca traje a nadie a mi casa de esta forma.

–¿De qué forma? –le pregunto.

Apaga el motor y mira a su casa antes de voltear hacia mí.

–¿Cómo clasificarías lo que estamos haciendo? ¿Es una cita o…?

Su nerviosismo lo hace aún más adorable.

–Esto puede sonar muy frío de mi parte –agrego–, pero, algunas veces, es mejor no ponerle un nombre a todo.

Baja la mirada y espero que no esté pensando que me estoy arrepintiendo de todo.

–No nos preocupemos por buscar una palabra que nos defina –añado–. Estamos el uno con el otro.

–*Eso* suena bien –me dice con una sonrisa pequeña–. Aunque lo que más me preocupa es el tiempo que nos queda juntos.

Pienso en el mensaje que le envié a Rachel anoche deseándole buena surte en la actuación de esta noche, pero todavía no me respondió. Incluso, llamé a Elizabeth, pero tampoco me devolvió la llamada. Tiene mucha razón para estar preocupado. *Yo* estoy preocupada. ¿Por cuánto tiempo puede alguien estar en dos lugares al mismo tiempo?

De pronto, oigo que abre su puerta.

–Creo que es hora de que entremos.

Llegamos a la puerta principal y me toma de la mano. Su palma está sudada y sus dedos muy inquietos. Este no se parece en nada al chico tranquilo que conocí aquel primer día. Me suelta la mano para frotarla contra sus jeans y luego abre la puerta.

–¡Aquí están! –grita una voz desde arriba.

Abby comienza a bajar la escalera y noto que luce mucho más bella y segura de lo que yo lucía en mi primer año de estudios. Lo que me parece muy adorable es que ella y Caleb tienen los mismos hoyuelos en sus mejillas. Miro hacia otro lado para no demostrar que le presté atención a eso, pero seguramente ya lo habrán notado. Cuando baja la escalera, extiende su mano y, por un breve momento, mientras se la estrecho, imagino todo lo que ocurrió ese día entre ella y Caleb.

—Me alegra mucho poder conocerte finalmente —comenta. Su sonrisa es tan amable y genuina como la de su hermano—. Caleb me habló mucho de ti. ¡Se siente como si estuviera conociendo a una celebridad!

—Yo… —no sé qué decir—. Bueno, ¡está bien! Un placer conocerte a ti también.

La madre de Caleb sale de la cocina con una sonrisa similar, pero sin hoyuelo. A primera vista, por la forma en que se detiene, puedo notar que es mucho más reservada que sus hijos.

—No dejes que Caleb te retenga en la puerta —dice—. Pasa. Espero que te guste la lasaña.

Abby gira tomándose de la columna de la escalera y se dirige a la cocina.

—También espero que puedas comer mucha —agrega Abby.

Su madre la mira entrar a la cocina y se queda con la vista en esa dirección incluso cuando su hija ya desapareció. Luego de unos segundos, baja la cabeza por un momento y voltea hacia nosotros.

—Es bueno tenerla en casa —comenta, pero puedo percibir que lo dice más para ella misma.

Al escuchar esas palabras, siento que no debería estar aquí. Su familia necesita pasar la primera noche juntos sin extraños acaparando toda la atención. Lo miro a Caleb y percibe que necesito hablar con él.

–Le voy a dar a Sierra un pequeño tour por la casa antes de cenar –comenta–. ¿Está bien?

–Nosotras nos encargaremos de preparar la mesa –dice haciendo un gesto con la mano para que nos marchemos.

Vuelve a entrar a la cocina, donde puedo ver a Abby mover una pequeña mesa de la pared. Le toca el pelo a su hija al pasar y mi corazón se rompe.

Sigo a Caleb hacia la sala de estar en donde puedo ver unas cortinas color guinda que enmarcan el árbol de Navidad.

–¿Está todo en orden? –me pregunta.

–Tu madre tuvo muy poco tiempo para estar con ustedes dos solos –le comento.

–No interrumpes nada –señala–. Quiero que los conozcas, eso también es importante.

Puedo oír a la mamá de Caleb y Abby hablar en la cocina. Sus voces suenan alegres, se las ve tan felices por estar juntas. Cuando volteo hacia Caleb, lo encuentro mirando el árbol con una expresión de tristeza.

Me acerco al árbol y observo la decoración. Uno puede saber mucho de una familia por los adornos que colocan en su árbol. En este caso, puedo ver una mezcla de cosas que Abby y Caleb seguramente hicieron cuando eran pequeños, y otros, más elegantes, de distintos lugares del mundo.

Toco un destellante recuerdo de la Torre Eiffel.

–¿Tu mamá visitó todos estos lugares?

Se acerca a una pequeña Esfinge que tiene un sombrero de Santa.

–Tú sabes cómo empiezan las colecciones. Un amigo suyo le trajo un adorno de Egipto, otro lo vio en nuestro árbol y trajo algún recuerdo de su viaje.

–Se ve que tiene amigos a los que les gusta viajar –señalo–. ¿Alguna vez viajó ella?

–No desde la separación –me contesta–. Al principio, era porque no teníamos dinero suficiente.

–¿Y luego?

–Cuando uno de tus hijos decide irse, creo que es difícil dejar al otro solo, incluso por poco tiempo –me dice al mirar hacia la cocina.

Tomo otro adorno de la que parece ser la Torre de Pisa, aunque, se ve derecha colgada del árbol.

–¿No podrías haber ido con ella?

–Y ahora volvemos al problema del dinero –me dice riendo.

Caleb me guía hacia su habitación en el piso de arriba. Camina por el angosto pasillo y me guía hacia una puerta abierta al final de este, pero, en el camino, me detengo al pasar por una puerta cerrada pintada de un blanco fuerte. Me inclino y aguanto la respiración por un momento. Veo una serie de marcas sobre la puerta a la altura de mis ojos. Instintivamente, las toco.

Oigo que Caleb exhala, y, al voltear, lo encuentro mirándome.

–La puerta solía ser roja –señala–. Mi mamá trató de lijarla un poco antes de pintarla para que se vean menos las marcas, pero… allí las tienes.

Lo que ocurrió esa noche se siente tan real. Ahora sé que corrió desde la cocina y subió a toda prisa por las escaleras. Su hermana refugiada dentro de la habitación mientras él estaba parado justo aquí, clavando una y otra vez el cuchillo contra la puerta. Caleb, así de amable como lo conozco, persiguió a Abby con un cuchillo. Y, además, lo hizo cuando su mejor amigo lo estaba mirando. No puedo encontrar relación con la persona que me mira en este momento. Noto que tiene una expresión de preocupación y vergüenza por lo ocurrido. Me gustaría decirle que no estoy asustada, para reanimarlo y calmarlo, pero no puedo.

–¿Ya están listos para comer? –grita su mamá desde abajo.

Nuestras miradas no se apartan entre sí. La puerta a su habitación está abierta, pero no daré un paso allí dentro. No ahora. Lo único que necesitamos hacer es volver a actuar con normalidad, o lo mejor que podamos, para su mamá y Abby. Camina al lado mío, con sus dedos apenas rozándome, pero no me toma de la mano. Miro una vez más la puerta de su hermana antes de bajar la escalera.

Al entrar en la cocina, puedo ver platos muy coloridos sobre las paredes. En el centro de la habitación hay una pequeña mesa para cuatro. Nuestra cocina en Oregon es más grande, pero esta se siente mucho más acogedora.

–Por lo general, la mesa no se encuentra en el centro de la habitación –comenta su mamá de pie a un lado de su silla–, pero nunca recibimos tantas visitas.

–Su cocina es mucho más grande que la de la caravana donde vivo –estiro mis brazos–. Estaría en el baño y al lado del microondas si hiciera esto.

Su madre se ríe al caminar hacia el horno y cuando lo abre, la habitación se cubre con un delicioso aroma a queso derretido, salsa de tomate y ajo.

Caleb corre una silla para mí y le agradezco mientras tomo asiento. Se sienta a mi derecha, pero se levanta de golpe y le entrega la silla a su hermana. Abby se ríe y le da una palmada y puedo notar que, por la forma tranquila en que se comporta con él, realmente ya olvidó todo lo que sucedió en el pasado.

La mamá de Caleb trae una fuente con lasaña y la coloca en el medio de la mesa. Una vez sentada, coloca una servilleta sobre sus piernas.

–Siéntete como en casa, Sierra. Adelante, sírvete tú misma.

–Yo me encargo –Caleb toma la espátula y me sirve una porción enorme de lasaña con mucho queso y luego también hace lo mismo con Abby y su madre.

–Te olvidas de servirte a ti –le señalo.

Caleb mira su plato vacío y se sirve una porción para

él. Abby apoya el codo sobre la mesa para taparse la risa mientras mira a su hermano.

–Entonces, ¿estás en el primer año? –le pregunto–. ¿Qué tal la preparatoria?

–Le está yendo de maravillas –se apresura Caleb–. Quiero decir, eso espero, ¿no es así?

Inclino la cabeza y lo miro. Tal vez necesita probar que todo está bien luego de lo que ocurrió en el piso de arriba.

Abby sacude la cabeza al escucharlo.

–Sí, hermano querido, me está yendo excelente. Me siento feliz y es una muy buena escuela.

–¿Caleb es un poco sobreprotector? –me inclino hacia ella y le sonrío.

Suspira al escuchar la pregunta.

–Es como la policía de la felicidad, siempre me llama para asegurarse de que mi vida esté bien.

–Abby –interviene la mamá de Caleb–, tengamos una cena agradable, ¿está bien?

–Eso intentaba hacer –responde Abby.

La madre de Caleb me mira y sonríe, pero su sonrisa se ve nerviosa. Luego, voltea hacia Abby.

–No creo que necesitemos mencionar ciertas cosas cuando tenemos visitas.

Caleb coloca una mano sobre la mía.

–Mamá, solo estaba contestando una pregunta.

Le aprieto rápidamente la mano a Caleb y luego miro a Abby, quien tiene la vista baja.

Luego de varios minutos de comer en silencio, su mamá comienza a preguntar qué se siente vivir en una granja de árboles de Navidad. Abby está asombrada por la extensión de nuestro terreno cuando les describo cómo luce. Estuve cerca de decirle que debería visitarnos, pero estoy segura de que cualquier respuesta solo conllevaría más momentos incómodos. Todos se sorprenden cuando les cuento sobre el helicóptero de mi tío Bruce y cómo engancho los árboles mientras él está volando por encima de mí.

La mamá de Caleb mira a sus dos hijos.

—No puedo imaginar dejarlos a ninguno de los dos hacer eso.

Caleb, por suerte, parece más relajado. Les contamos sobre las veces que fuimos a entregar árboles juntos y él cuenta algunas cuando fue solo. Siempre que Caleb habla, noto que su madre mira a Abby. ¿Se estará preguntando, mientras Abby escucha las historias, cómo sería si ambos todavía vivieran juntos? Cuando les cuento que fue mi idea regalarles galletas caseras a las familias, noto que su mamá le guiña un ojo a Caleb y mi corazón se acelera un poco. Una vez que terminamos de cenar, nadie se levanta de la mesa.

Luego, Abby nos cuenta que acompañará a su padre a comprar un árbol y, al notar que su madre se levanta para juntar los platos, me habla directo a mí. Trato de mirarla fijo mientras la escucho, pero no puedo evitar ver que Caleb se encuentra con la vista sobre sus manos cuando su mamá pone los cubiertos y platos en el fregadero.

Una vez que Abby termina de contar su historia, la madre vuelve a la mesa con nosotros. Trae consigo un plato repleto de cuadraditos de cereales con chispas de color rojo y verde. Abby me pregunta si me resulta difícil estar lejos de casa y de mis amigos por un mes entero todos los años. Cada uno toma un cuadradito y me quedo pensando en la pregunta.

—La verdad que sí, extraño a mis amigas —le comento—, pero mi vida siempre fue así. Supongo que cuando creces de determinada manera, es muy difícil pensar en algo completamente distinto, ¿entiendes?

—Desafortunadamente —agrega Caleb—, en el caso de Abby, nosotros sí podríamos pensar en algo completamente distinto.

—No quise decir eso —le digo tomándolo por el brazo.

Caleb deja de comer su postre.

—Saben, estoy muy cansado —me mira y puedo ver rastros de dolor en sus ojos—. No deberíamos preocupar a tus padres.

Sus palabras caen como una cubeta de agua fría sobre mi espalda.

Caleb se para sin mirar a nadie y empuja su silla. Desconcertada, también me levanto. Les agradezco a ambas por la cena y su madre baja la mirada hacia su plato. Abby sacude la cabeza al mirarlo a Caleb, pero nadie dice nada. Se encamina hacia la puerta principal y lo sigo por detrás.

•

Nos dirigimos hacia su camioneta en la fría noche y, a mitad de camino, lo tomo por el brazo y me detengo.

—Lo estaba pasando bien.

—Ya sabía hacia dónde iba la conversación —me dice sin mirarme a los ojos.

Quiero que me mire, pero no lo hace. Simplemente está ahí, de pie frente a mí, con los ojos cerrados y con una mano en su cabello. Luego, se dirige hacia su camioneta y se sube. Me subo del lado del acompañante y cierro la puerta. Veo que coloca la llave para arrancar el vehículo, pero no lo hace. En su lugar, se queda con la mirada fija sobre el volante.

—Al parecer, todo está bien con Abby —le comento—. Tu mamá la extraña, eso es obvio, pero la persona que se veía más incómoda ahí dentro eras tú.

Enciende la camioneta.

—Abby me perdonó, y eso realmente ayuda, pero no puedo perdonarme a mí mismo por todo lo que le quité a mi madre. Todo eso lo perdió por mi culpa, es algo muy difícil de olvidar con Abby sentada justo frente a mí y contigo hablando sobre tu familia.

Pone la camioneta en marcha y salimos en la dirección opuesta a la que llegamos. Nos quedamos en completo silencio durante todo el viaje hacia el lote. Una vez allí, veo que todavía está abierto, por lo que entramos en el estacionamiento. Hay gran cantidad de clientes recorriendo el lugar y veo que papá lleva un árbol recién rociado con nieve artificial hacia la Administración. Si la cena se hubiera dado de la manera que esperaba, habríamos regresado por la noche cuando el lugar ya estuviera cerrado. Nos habríamos quedado sentados dentro de la camioneta, estacionados hablando sobre lo bella que había sido la noche y, quizás, nos habríamos besado.

En lugar de eso, estaciona en un lugar poco iluminado y me bajo de la camioneta. Caleb permanece en el asiento del conductor sin soltar las manos del volante. Me detengo afuera con la puerta abierta y lo miro, pero él continúa sin poder levantar la vista hacia mí.

–Lo siento, Sierra. No mereces esto. Cada vez que te visito aquí, aparece Andrew. Y ya viste cómo es mi casa. Ni siquiera podemos ir a la tienda sin generar algún tipo de discusión. Eso no cambiará en el poco tiempo que nos queda.

No puedo creer lo que está diciendo. Ni siquiera puede mirarme a los ojos para decirlo.

–Y, a pesar de todo, sigo aquí –acoto.

–Es demasiado –ahora sí me mira a los ojos–. Detesto que hayas visto todo eso.

Mi cuerpo se siente débil, por lo que tengo que sostenerme de la puerta para mantener el equilibrio.

–Tú dijiste que yo lo valía. Te creí.

No me contesta.

–Lo que más me lastima –agrego– es que tú también lo vales. Hasta que no hayas entendido que eso es lo único que importa, siempre será demasiado.

—Ya no puedo más —dice en voz baja con la mirada fija sobre el volante.

Espero a que se arrepienta de lo que acaba de decir. No tiene idea de todo lo que he hecho para defenderlo, ya sea con Heather, con mis padres, o con Jeremiah. Incluso, me peleé con mis amigas en Oregon para poder estar con él. Pero si él se entera de todo eso, lo único que lograría sería lastimarlo aún más.

Me marcho hacia la caravana sin cerrar la puerta y sin voltear. Una vez dentro, con todas las luces apagadas, me desplomo sobre la cama y oculto mi cara en la almohada para tapar el llanto. Necesito hablar con alguien, pero Heather salió con Devon, y, por primera vez, no puedo llamar a Rachel o Elizabeth.

Hago a un lado la cortina que se encuentra sobre mi cama y miro hacia afuera. Su camioneta todavía sigue en el mismo lugar con la puerta abierta. Gracias a la poca luz que entra a la cabina, puedo ver que su cabeza está baja y sus hombros tiemblan desconsoladamente.

En este momento, quiero salir corriendo hacia allí y encerrarme con él. Pero por primera vez, no le hago caso a mi instinto. Cuando veo que se marcha, trato de memorizar qué fue lo que ocurrió para que termináramos de esta forma.

Luego de un rato, me reincorporo y salto de la cama. Salgo para distraerme de mis pensamientos. Ayudo a varias familias y hago mi mejor esfuerzo para ocultar la tristeza. Sin embargo, no puedo soportarlo más y regreso a la caravana.

Reviso mi teléfono y veo que tengo dos mensajes de voz. El primero es de Heather.

> ¡Devon me regaló el mejor día de mi vida! ¡Y todavía no es Navidad! Me llevó a la cima del Cardinals Peak para cenar, ¿puedes creerlo? ¡Estaba escuchando ese día, en la camioneta!

Me cuenta con demasiado entusiasmo como para este momento. Me gustaría estar tan emocionada como ella, se lo merece. Pero, en cambio, siento celos por lo fácil que resulta todo para ellos. Y agrega:

> Por cierto tus árboles están creciendo estupendamente allí arriba. Los fuimos a ver.

Le envío un mensaje de texto:

> Me alegra saber que conservarás a Devon por más tiempo.

Me responde:

> Se ganó el pase hasta Año Nuevo. Pero tiene que dejar de hablar de su equipo de fútbol de fantasía si quiere llegar al Supertazón. ¿Qué tal la cena?

No le contesto.

Reproduzco el mensaje de voz de Caleb y, por varios segundos, no hay nada más que silencio.

Lo siento…

Me dice, finalmente, y se vuelve a quedar callado por mucho más tiempo que la primera vez, como si quisiera que entienda su dolor. Se ha estado lastimando por mucho tiempo.

Por favor, perdóname. Arruiné todo de una manera que nunca hubiera pensado. Tu sí lo vales, Sierra. ¿Me permitirías pasar antes de ir a la iglesia mañana?

Se queda en silencio por otro largo rato y aprieto el teléfono contra mi oído.

Te llamaré por la mañana.

Hay muchas razones por las que la siguiente semana no será fácil para ninguno de los dos. Es como sentirse peor a medida que se acerca la Navidad… y mi partida.

Le envío un mensaje de texto:

No hace falta llamar. Solo pasa, te estaré esperando.

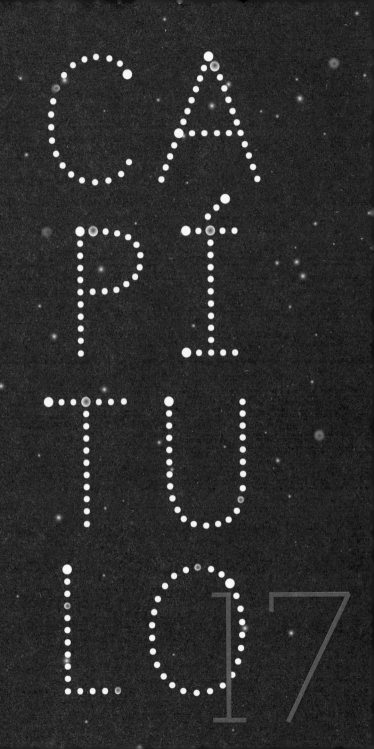

CAPITULO 17

La mañana siguiente, escucho que alguien golpea la puerta. Ni bien la abro, veo a Caleb a punto de golpear otra vez; con su otra mano sostiene un vaso de café para llevar y me lo ofrece. Es un gesto muy dulce para una persona que tiene la mirada tan triste y el cabello tan despeinado.

–Estuve muy mal –me dice en lugar de saludarme con un "hola".

Bajo de la casa rodante y acepto la bebida.

–No estuviste mal –disiento–. Tal vez sí fuiste un poco grosero con Abby y tu madre…

–Lo sé –asiente–. Cuando regresé a casa hablamos por un largo rato con Abby. Tú tenías razón. Ella maneja mucho mejor que yo la situación. Hablamos sobre mamá y cómo podríamos hacer para que ella también se sienta mejor.

Tomo el primer sorbo de mi moca de menta, y Caleb se acerca.

—Luego de hablar con ella, me quedé pensando durante toda la noche. Mi problema ya no es resolver todo con Abby o con mamá.

—Es resolverlo contigo —completo la frase.

—Anoche, no dormí nada por pensar en ello —agrega.

—A juzgar por cómo luce tu cabello, te creo —comento.

—Por lo menos, me cambié la camisa.

Lo miro de arriba abajo. Su jean está arrugado, pero la camisa de mangas largas color morado luce bien.

—No me puedo tomar toda la mañana libre —digo—, pero ¿quieres que te acompañe a la iglesia?

Su iglesia no está lejos, pero el camino está en subida la mayor parte del recorrido. Toda la pesadez de anoche desaparecerá a medida que doblemos en cada esquina. Durante la mayor parte del tiempo, caminamos tomados de la mano para estar cerca el uno del otro mientras hablamos. En ocasiones, frota su pulgar sobre mi mano y yo le devuelvo el gesto.

—Recuerdo haber ido a la iglesia varias veces cuando era pequeña —comento—. La mayoría de las veces con mis abuelos durante las vacaciones, pero mi mamá iba casi siempre cuando era más joven.

—Yo trato de ir todas las semanas —comenta—. Poco a poco, mi mamá también está comenzando a acompañarme.

–Entonces, ¿algunas veces vas tú solo? –pregunto–. ¿Te ofendí al decir que no voy?

–Tal vez si hubieras dicho que asistías todo el tiempo para que pensara bien de ti, *sí* me habría ofendido –comienza a reír.

Nunca tuve una conversación sobre la iglesia con mis amigos. Se supone que debería ser incómodo hablarlo con alguien que me gusta tanto, y que deseo que guste de mí, pero no lo es.

–Entonces, eres creyente –señalo–. ¿Siempre lo has sido?

–Eso creo, aunque siempre tuve muchas preguntas que la mayoría de las personas temen responder. Pero, al menos, me da algo para pensar por las noches. Algo más aparte de esta chica con la que estoy obsesionado.

–Eso es muy honesto de tu parte –le digo sonriendo.

Al doblar en la siguiente esquina, puedo ver a lo lejos el campanario blanco de la iglesia. En este momento, siento que me está permitiendo ver su lado más íntimo. Este chico que conocí hace tan solo unas semanas viene aquí todos los domingos, y ahora estoy caminando junto a él, tomados de la mano.

Nos detenemos para darle paso a un automóvil que ingresa al estacionamiento que se va llenando bastante rápido. Veo a varios muchachos de mediana edad con chalecos reflejantes anaranjados que guían a los automovilistas hacia los espacios libres. Avanzamos hacia una puerta con el cristal grabado y, sobre esta, hay una cruz grande de madera. Un grupo de hombres y mujeres de todas las edades están de pie junto a la entrada para darles la bienvenida a las personas que ingresan al lugar. A un lado, probablemente esperando a Caleb, están Abby y su mamá.

–¡Sierra! –exclama Abby al dar un salto de alegría–. Me alegra mucho verte. Me preocupaba que mi hermano cabeza hueca te haya espantado anoche.

Caleb suelta una risa sarcástica.

–Me compró un moca de menta –le cuento–. Es muy difícil decirle que no a eso.

Una de las personas en la puerta revisa su teléfono y, pronto, la gente comienza a ingresar al lugar. Una vez dentro, cierran la puerta de cristal.

–Parece que es hora de entrar –señala la mamá de Caleb.

–En realidad –agrega Caleb–, Sierra tiene que regresar al lote.

–Desearía no tener que hacerlo –le comento–. Pero los domingos tenemos mucho trabajo allí, en especial, cuando falta solo una semana para Navidad.

–Casi lo olvido, ¿crees que puedes desaparecer esta tarde? –le dice su madre a Caleb al señalarlo con un dedo.

Caleb me mira confundido y, luego, voltea hacia ella.

–Estoy esperando un pedido y pienso mantenerlo como una sorpresa para ti. Este año, estoy decidida a no permitir que lo arruines –voltea hacia mí–. Cuando él era pequeño, tenía que guardar los regalos en mi trabajo porque hurgaba en todos los escondites posibles en nuestra casa.

–¡Eso es horrible! –exclamo–. Mis padres podían esconder el mío en mi habitación y, aun así, habría hecho todo lo posible para no entrar allí. ¿Por qué querría descubrir accidentalmente mi regalo de Navidad?

Caleb ignora mi inocencia y desafía a su madre.

–¿De veras crees que no podré descubrirlo esta vez?

–Cariño… –le da una palmada en el brazo–. Es por eso que lo dije frente a Sierra. Espero que ella pueda enseñarte a ser paciente.

Vaya que he sido paciente con este muchacho.

–Te estaré vigilando –lo amenazo.

–Trata de ver qué hacer antes de la cena –agrega su madre.

Caleb dirige la mirada hacia su hermana.

–Aparentemente, tendré que desaparecer esta tarde. ¿Qué haremos, pequeña Abby?

–Decídelo ahora o más tarde –dice su mamá–, pero yo me voy adentro. No quiero sentarme en el balcón como la última vez.

Me da un abrazo y entra a la iglesia.

Abby le pide a Caleb que vaya a buscar un folleto de la Misa de Nochebuena a la luz de las velas.

–Definitivamente, tienes que venir con nosotros. Es muy bello –me invita.

Caleb me pide que lo espere aquí y se encamina hacia la puerta de cristal.

Abby me mira directo a los ojos.

—A mi hermano le gustas —me dice rápidamente—. Y *mucho*.

Siento un hormigueo por todo el cuerpo.

—Sé que en poco tiempo te marchas —añade—, por eso quería que lo supieras en caso de que él esté actuando como todo un hombre que oculta sus sentimientos y no exprese nada.

No sé qué contestarle y Abby comienza a reír por mi silencio.

Caleb regresa con un folleto en su mano. Me lo entrega, pero me toma un momento dejar de mirarlo a los ojos. Al bajar la vista, veo un dibujo de una vela encendida rodeada por una corona navideña y la información del evento.

—Hora de irnos —agrega Abby y toma a su hermano por el brazo para entrar a la iglesia.

Sí, digo en mi cabeza, *también me gusta tu hermano. Y mucho.*

CAPITULO 18

El lunes por la mañana, llamo a Elizabeth para preguntarle por la actuación de Rachel.

–Lo hizo bien –me comenta–. Aunque deberías preguntarle a ella.

–¡Lo intenté! –le explico–. La llamé, le envié mensajes. Ustedes me están ignorando por completo.

–Hay una razón: preferiste a un chico antes que a ella, Sierra. Ya entendimos que te gusta. Grandioso. Pero, lo que tienes que saber es que no vas a estar allí por siempre –reprocha–. Por eso Rachel está enojada contigo. Pero tampoco quiere ver cómo te rompen el corazón.

Cierro los ojos al escucharla. A pesar de estar enojadas conmigo, todavía se preocupan por mí. Hago una mueca de dolor y me desplomo sobre mi pequeña cama.

–Es ridículo. Sí que lo es. Es una relación que no va a llegar a ningún lado. ¡Todavía ni siquiera nos besamos!

–Sierra, es época de Navidad. ¡Coloca una estúpida rama de muérdago sobre su cabeza y bésalo de una vez!

–¿Me harías un favor? –le pregunto–. ¿Puedes pasar por mi casa? En mi armario está el trozo de madera de mi primer árbol de Navidad. ¿Me lo podrías enviar por correo?

Elizabeth suspira.

–Solo se lo quiero mostrar –continúo–. Es muy tradicionalista, creo que le encantaría verlo antes de que…

Me detengo. Si lo digo, estaré pensando en eso durante todo el día.

–Antes de que te marches –agrega Elizabeth–. De una forma u otra, eso ocurrirá, Sierra.

–Lo sé. Siéntete libre de decirme que estoy actuando como una tonta.

Se queda en silencio por un largo tiempo.

–Es lo que sientes. Nadie puede decirte algo por eso –algunas veces, creo que ni siquiera la persona que lo siente puede decir algo–. Aunque, probablemente, deberías besarlo antes de tomar alguna decisión grande. Si besa horrible, será mucho más sencillo dejarlo ir.

–Las extraño mucho –le digo riendo.

–Nosotras también te extrañamos, Sierra. Ambas lo hacemos. Trataré de calmar un poco a Rachel. Simplemente está frustrada.

Me recuesto sobre mi cama.

–Soy una traidora al código de chicas.

–No te hagas daño a ti misma –me consuela–. Está

bien. Fuimos egoístas con el hecho de compartirte con otra persona, eso es todo.

Antes de comenzar a trabajar, enciendo la computadora para filmarme describiendo, en francés, todo lo que ocurrió aquí, desde plantar el árbol en el *Cardinals Peak* hasta acompañar a Caleb a la iglesia, y le envío el video a *Monsieur* Cappeau para compensar las llamadas que no le hice.

Tomo una manzana y me dirijo a la Administración para ayudar a mamá. La mayoría de las escuelas ya está en época de vacaciones, y, debido a aquellas personas que deciden comprar su árbol a último momento, el lote estará lleno durante todo el día. Años atrás, solía trabajar diez horas al día durante esta semana, pero mamá me comentó que contrataron nuevos empleados, y que así podría tener más tiempo libre para mí.

Una vez allí, reponemos los estantes con mercadería y ayudamos a los clientes, mientras papá empuja dos árboles recubiertos con nieve artificial. Cuando ya no estamos atendiendo clientes, los tres nos encontramos en la mesa de las bebidas. Yo me preparo mi moca de menta y les comento que haré más galletas para llevar con Caleb en la próxima entrega.

–Grandioso, cariño –me dice papá, pero en lugar de mirarme directo a los ojos, tiene la mirada puesta fuera de la Administración–. Necesito ir a controlar a los demás empleados.

Con mamá lo vemos marcharse.

–Creo que eso es mejor que tener que escuchar lo que piensa –admito. Papá ahora está en la etapa de esperar a que la relación con Caleb termine. El lado positivo es que, luego de ver mi pelea con Andrew, papá le pidió que se disculpe, pero, en lugar de hacerlo, simplemente renunció.

Mamá choca su taza con la mía.

–Tal vez Caleb ahorre algo de su propina y te compre un regalo de Navidad a ti también.

–Estaba pensando en regalarle el trozo de madera de mi primer árbol –le digo cuando la veo tomar un sorbo de su café.

Su silencio me incomoda, por lo que levanto mi taza de Pascuas y tomo un sorbo mientras espero que responda. Fuera de la Administración, puedo ver a Luis colocar un árbol sobre el techo de un automóvil. Tomo otro sorbo mientras me pregunto qué hace aquí si ya tiene su árbol.

–Es el regalo perfecto para alguien como Caleb –me responde cuando la vuelvo a mirar.

Bajo mi taza para abrazarla y ella trata de no volcar su bebida sobre mí.

–Gracias por no pensar mal de él, mamá.

–Confío en lo que tú dices –me dice al bajar su taza y sujetarme por los hombros para mirarme a los ojos–. Tu padre también lo hace. Creo que simplemente decidió no decir nada hasta que nos marchemos.

Sobre su hombro, puedo ver a Luis retornar hacia el lote con sus guantes de trabajo puestos. Lo señalo para mostrarle a mamá.

–Ese es Luis –le digo–. Lo conozco.

–Es uno de los chicos que contratamos. Tu padre dice que es muy buen trabajador.

En el próximo descanso entre las ventas, le pongo café a mi moca para calentarlo un poco.

–¿Me quieres hacer uno mientras te preparas el tuyo? –dice una voz detrás de mí.

–Eso depende –volteo y veo a Caleb–. ¿Qué me darás a cambio?

Lleva la mano hacia un bolsillo de su abrigo y toma un gorro de Navidad verde tejido a mano con algunos adornos de tela y una suave estrella amarilla.

–Planeaba guardarlo para más adelante, pero si hay un moca en juego, mejor lo uso ahora –me dice al colocárselo sobre su cabeza.

–¿Por qué eso? –le pregunto riendo.

–Lo compré esta mañana en una tienda de segunda mano –explica–. Estoy con el espíritu sartorial de la temporada.

Abro mi boca sorprendida.

–Ni siquiera *yo* sé qué significa eso.

Su hoyuelo aparece cuando sonríe y levanta las cejas.

– ¿*Sartorial?* Estoy asombrado. Quizás deberías descargarte un diccionario en tu teléfono como hice yo. Todos los días eligen una palabra y ganas puntos cada vez que la usas.

–Pero ¿la usaste de manera correcta? –le pregunto.

–Eso creo –contesta confundido–. Es un adjetivo. Algo sobre ropa.

Sacudo mi cabeza de lado a lado ansiosa por hacerlo reír y quitarle esa cosa de su cabeza.

–Señor, esa palabra le acaba de hacer ganar dos bastones de caramelo.

Caleb se ofrece para hornear las galletas en su casa y mamá nos desea que la pasemos bien. En realidad, me dijo que vaya a divertirme sin preguntarle a papá y es un consejo materno que tomaré con mucho gusto.

–Abby me dijo que le gustaría estar con nosotros –comenta Caleb cuando nos subimos a su camioneta–. También puedes invitar a Heather, si quieres.

—Heather, créase o no, está emocionada terminando el regalo para Devon —le cuento—. Apuesto a que se trata de un suéter navideño.

Caleb abre la boca con una expresión de horror.

—¿Es capaz de hacer eso?

—Definitivamente —contesto—. También le regalará algo lindo, pero, conociendo a Heather, le entregará el suéter primero para ver su reacción.

Luego de comprar los ingredientes, Caleb me acompaña hasta la puerta de su casa, cada uno con una bolsa de la tienda. Al entrar, vemos que Abby está escribiendo a toda prisa en su teléfono.

—En un momento estoy con ustedes —nos dice sin levantar la vista—. Tengo que asegurarme de que mis amigos no piensen que desaparecí de la faz de la Tierra. Y quítate ese gorro ridículo, Caleb.

Caleb se saca el gorro y lo coloca sobre la mesa de la cocina. Noto que ya preparó las bandejas para las galletas, las cucharas medidoras, las tazas y el tazón para mezclar.

—¿Me enviarás mensajes como esos desde Oregon, así me aseguro de que no hayas desaparecido de la faz de la Tierra? —me pregunta.

Mi risa surge de manera forzada, con cierta preocupación. En menos de una semana necesito encontrar la forma de despedirme.

Coloco los ingredientes sobre la mesa y, de pronto, suena el timbre de la puerta principal.

–¿Esperas a alguien? –le pregunta a su hermana desde la cocina.

Abby no contesta, seguramente todavía está escribiendo el mensaje. Caleb suspira y se dirige hacia la puerta del frente. Oigo que la abre y hay una larga pausa.

Finalmente, oigo la voz de Caleb.

–Oye, ¿qué haces aquí?

Desde la cocina, oigo una voz grave y familiar.

–¿De esa forma recibes a quien alguna vez fue tu mejor amigo?

Casi dejo caer una docena de huevos. No tengo idea de qué es lo que está haciendo Jeremiah aquí, pero me hace querer correr dentro de la cocina con los brazos en el aire como si hubiera ganado una maratón.

Cuando entran a la cocina, trato de poner mi mejor cara de tranquilidad.

–Ey, Jeremiah.

–Chica de los árboles –me dice al verme.

–Sabes, también hago otras cosas.

–Créeme que ya lo sé –comenta–. Si no fuera por lo entrometida que eres, probablemente, no estaría aquí.

Caleb sonríe y nos mira a ambos. Nunca le conté que Jeremiah y Cassandra fueron al lote.

–Si bien no todo está de maravillas –agrega Jeremiah–, les dejé las cosas en claro a mi mamá y Cassandra, por eso… aquí estoy.

Caleb voltea hacia mí con sus ojos llenos de preguntas

y agradecimiento. Se frota la frente y mira hacia la ventana de la cocina.

Comienzo a guardar los ingredientes de nuevo en las bolsas. Este momento no tiene que girar sobre mí.

—Ustedes hablen mientras le alcanzo esto a Heather.

Aún con la vista en la ventana, Caleb me dice que no hace falta que me vaya, pero lo interrumpo.

—Habla con tu amigo —le digo sin siquiera esconder la sonrisa—. Ha pasado mucho tiempo.

Cuando volteo con las bolsas en las manos, veo puro amor en los ojos de Caleb.

—Veámonos más tarde —le digo.

—¿A las siete te parece bien? —propone—. Hay algo que quiero que veas.

—Estaré esperando.

Cuando llego a la puerta principal, oigo que Jeremiah le dice "te extrañé, amigo". Mi corazón se acelera y me tomo un momento antes de abrir la puerta.

Luego de entregar el último árbol y una lata de galletas, nos quedamos dando algunas vueltas en su camioneta mientras me cuenta cómo fue su reunión con Jeremiah.

—Es difícil saber cuándo nos volveremos a ver —comenta—, porque ahora tiene sus amigos y yo los míos. Pero lo haremos, lo cual es grandioso. Había creído que nunca más nos volveríamos a juntar.

–Eso *es* asombroso –señalo.

Una vez que estacionamos frente a su casa, voltea hacia mí.

–Todo gracias a ti –dice–. *Tú* eres asombrosa.

Me gustaría que este momento durara para siempre, los dos dentro de su camioneta agradecidos el uno con el otro. Pero, en lugar de eso, abre la puerta y deja entrar el aire frío.

–Vamos –agrega antes de salir.

Una vez que está abajo, intento que mi mano deje de temblar para poder abrir mi puerta. Cuando salgo, froto mis manos para calentarlas y él me ofrece la suya para ir a caminar.

Pasamos por cuatro casas antes de doblar en un callejón, cuya entrada está iluminada por un solo poste de luz. El suelo es de pavimento áspero y tiene una cuneta de concreto en el centro.

–Lo llamamos el *Callejón de los Garajes* –explica.

A medida que nos adentramos en la angosta calle, la luz del poste se desvanece de a poco. A cada lado, hay entradas a distintos garajes. Debido a que las altas cercas de madera de las casas impiden que el lugar esté más iluminado, casi tropiezo con la cuneta, pero Caleb me toma por el brazo justo a tiempo.

–Es un poco tenebroso aquí –comento.

–Espero que estés lista –me dice–, porque estoy a punto de decepcionarte.

Intenta que su rostro se vea serio en la oscuridad, pero puedo ver que esboza una pequeña sonrisa.

Nos detenemos justo en donde comienza la carretera y me gira por los hombros para que mire un garaje. La enorme puerta de metal está inmersa en la sombra del alero. Toma mi mano y me guía hacia adelante. Un sensor de movimiento sobre la puerta se activa y enciende la luz.

–Mi mamá ya te comentó que no sirvo para las sorpresas –me recuerda.

–¡Dime que no lo hiciste! –le digo al empujarlo por el hombro y se empieza a reír.

–¡No fue a propósito! No esta vez. Fui a buscar unas sogas al garaje y mi regalo estaba justo allí.

–¿Arruinaste la sorpresa de tu mamá?

–¡Fue su culpa! –exclama–. ¡Simplemente estaba allí! Pero creo que estarás contenta de saber que ahora la puedo compartir contigo. No le dirás nada, ¿verdad?

No lo puedo creer. Está actuando como un niño pequeño demasiado dulce como para resultar molesto.

–Tan solo, muéstrame lo que es –le pido.

CAPITULO 19

Con la luz del sensor todavía encendida, Caleb se encamina hacia un interruptor a un lado de la puerta del garaje y levanta la tapa de plástico que cubre los botones para ingresar la clave.

–Cuando era pequeño –me cuenta con los dedos sobre el primer número del código–, todos los años le pedía a Santa el mismo regalo. Algunos de mis amigos tenían una y me daba mucha envidia, pero era en vano. Luego de un tiempo, renuncié y no la pedí más, y asumo que la mayoría dirá que ya estoy demasiado grande para esto, pero la verdad es que no.

Al terminar de hablar, esboza una sonrisa radiante.

–¡Muéstrame! –le pido ansiosa.

Caleb ingresa la clave de cuatro dígitos y cierra la tapa. Se aleja y la puerta comienza a abrirse lentamente. Estoy muy segura de que no pidió un convertible cuando era chico, aunque eso haría que la noche fuera mucho más divertida. Cuando la puerta está por la mitad, me inclino para ver dentro y, gracias a la poca luz que logra entrar, puedo ver... *¿una cama elástica?* Me desplomo sobre mis rodillas riendo a carcajadas.

–¿Qué es tan gracioso? –pregunta Caleb–. ¡Saltar es divertido!

Lo miro directo a los ojos y sabe bien por qué es tan gracioso.

–¿Qué acabas de decir? ¿Saltar es divertido? ¿Cuántos años tienes?

–Los suficientes como para que no me importe –me contesta. Una vez que la puerta se abre por completo, entra al garaje.

–Vamos, entra.

Levanto la vista hacia el techo de madera y noto que las vigas están muy bajas.

–No podemos saltar aquí dentro –señalo.

–Claro que no. ¿Cuántos años tienes *tú?* –sujeta uno de los lados de la cama elástica y flexiona sus rodillas–. Ayúdame.

De a poco, logramos sacarla hacia el callejón.

–¿No te preocupa que tu madre nos oiga? –le pregunto. Por la expresión en su rostro, puedo notar que eso hace que sea más interesante. Hasta aquí llegué para enseñarle la importancia de ser paciente.

–Tiene una fiesta en su trabajo por las vacaciones –me comenta–. No estará en casa hasta tarde.

–¿Y Abby?

–Fue al cine con una amiga –se saca el calzado y sube a la cama elástica. Mientras me saco mis zapatos, él ya está brincando como una gacela torpe–. Apúrate y sube de una vez.

Cuando termino de sacarme el calzado, me siento en el borde y giro rápidamente. Al cabo de unos pocos minutos, estamos saltando al mismo ritmo mientras reímos a la par. Cuando uno sube, el otro baja, y él continúa saltando alto para que yo también pueda hacerlo. Pronto conseguimos suficiente altura como para que Caleb realice un giro hacia atrás.

Es asombroso verlo tan libre y despreocupado. No quiero decir que esté todo el tiempo serio, pero ahora se siente diferente, como si estuviera recuperando algo que había perdido.

A pesar de sus súplicas, me rehúso a realizar un giro y, luego de un rato, nos detenemos para tomar un descanso. Nos recostamos boca arriba y observamos las brillantes estrellas en el cielo nocturno. Nuestra respiración se siente muy agitada y lo único que puedo percibir es el movimiento de nuestro pecho hacia arriba y abajo, deteniéndose lentamente. Luego de estar así por varios minutos, la luz del garaje se apaga.

–Mira esas estrellas –señala Caleb.

El callejón es muy oscuro y la noche tan tranquila que solo puedo oír nuestra respiración, algunos grillos entre los arbustos y un pájaro en la distancia. De pronto, oigo un chirrido metálico del lado de Caleb.

—¿Qué haces? —pregunto tratando de estar lo más quieta posible para que la luz no se vuelva a encender.

—Me muevo muy, muy despacio —comenta—. Quiero tomarte de la mano en la oscuridad.

Muevo mi cabeza lo más lento que puedo para mirar mi mano. Nuestras siluetas son apenas visibles sobre la lona oscura de la cama elástica. Siento que sus dedos se acercan a los míos y, aun tratando de recuperar el aliento, espero su mano.

Al tocarnos, sentimos una pequeña chispa de electricidad entre ambos y me muevo hacia un lado con un movimiento brusco.

—¡*Ay*!

La luz del garaje se prende y Caleb estalla de la risa.

—¡Lo siento mucho!

—Más te vale —le digo—. ¡Eso no fue para nada romántico!

—Si quieres, puedes darme electricidad tú a mí ahora —propone—. Eso es romántico, ¿no es así?

Aún recostada sobre mi espalda, froto mis pies rápidamente contra la lona de la cama elástica y me acerco al lóbulo de su oreja. ¡*Pzzt*!

—¡*Ay*! —se toma de su oreja riendo—. ¡Eso en verdad dolió!

Se pone de pie y refriega sus calcctines en círculo sobre la superficie de la cama. Me levanto y hago lo mismo mientras lo miro fijo a los ojos.

—¿Qué? ¿Quieres una batalla? —le pregunto—. Vamos, adelante.

—Claro que sí —coloca su dedo delante de él y se lanza sobre mí.

Lo esquivo y le golpeo el hombro.

—¡Dos veces! Te toqué dos veces.

—Está bien, ya no seré más el Sr. Correcto.

Me muevo hacia el otro extremo de la cama elástica, pero siento que estira su mano para atraparme. Logro ver sus pies cerca y doy un pequeño salto justo a su lado para que pierda el equilibrio. Se cae y le doy un pequeño choque eléctrico en la nuca.

—¡Estás fuera! —le digo al levantar mis manos en el aire.

Recostado sobre la cama elástica, me mira con una expresión de maldad. Miro a mi alrededor y veo que no hay ninguna escapatoria. Con un movimiento de sus piernas logra derribarme. Rebotamos una vez y se voltea para que pueda caer sobre él. Me quedo prácticamente sin aire y con sus manos rodeando mi cuerpo. Levanto la vista para mirarlo a los ojos y, entre risas, le aparto mi cabello de su rostro con un soplido. Lentamente, las risas se detienen y solo percibimos nuestras respiraciones agitadas.

Me toca una mejilla con su mano y me acerca hacia él. Sus labios se sienten tan suaves con un dulce sabor a menta. Me inclino hacia adelante y me pierdo en sus besos. Me hago a un lado y se coloca sobre mí. Lo sujeto con mis brazos alrededor de su espalda mientras nos besamos con mayor intensidad. Luego de un momento, nos separamos para reponer el aliento y nos miramos a los ojos.

Muchas cosas pasan por mi mente para distraerme de este momento. Pero, en lugar de preocuparme, cierro los ojos, me inclino hacia adelante y me permito creer en nosotros.

La mayor parte del viaje de vuelta al lote la hacemos en silencio. Me encuentro casi totalmente hipnotizada por el movimiento del llavero de Caleb en el que estamos los dos sentados sobre el regazo de Santa. Si tan solo esta semana no terminara nunca.

Luego de ingresar al lote y estacionar la camioneta, me toma de la mano. Levanto la vista hacia la caravana y veo que las cortinas de la habitación de mis padres están cerradas.

–Gracias, Sierra –me dice apretando fuerte mi mano.

–¿Por qué?

–Por saltar en la cama elástica conmigo –me contesta sonriendo.

—Oh, fue un placer.

—Y por haber hecho de estas últimas semanas las mejores de mi vida.

Se inclina hacia mí para besarme y, otra vez, me pierdo en sus labios. Me aparto de su boca para acercarme a su oído.

—Las mías también lo fueron —susurro.

Juntamos las mejillas y nos quedamos quietos por un momento mientras escuchamos nuestra respiración. Luego de la siguiente semana, nunca más podré estar así. Quiero retener este momento y dejarlo grabado en mi corazón para no perderlo nunca.

Cuando finalmente desciendo, me quedo mirando cómo las luces traseras de la camioneta desaparecen en la distancia.

De repente, papá aparece por detrás de mí.

—Esto tiene que terminar ahora, Sierra. No quiero que lo veas más.

Volteo hacia él al oír su voz.

—No es por lo que ocurrió con su hermana. No es solo eso. Es todo —me dice y sacude la cabeza.

Todas esas sensaciones agradables y hermosas que sentía en ese momento desaparecen por completo y una pesadez intensa toma su lugar.

—Creí que ya lo habías hecho a un lado.

—Nos marchamos pronto —me explica—, y lo sabes. También debes saber que te has estado viendo demasiado con ese chico.

No puedo encontrar la fuerza para hablar o, incluso, para encontrar las palabras justas para gritarle. Por fin todo estaba saliendo de maravillas y ¿él tiene que arruinar todo? No. No le permitiré hacer esto.

–¿Qué dice mamá? –le pregunto.

Voltea a medias hacia la caravana.

–Tampoco quiere verte lastimada.

Al ver que no le contesto, voltea por completo y se encamina hacia la incómoda caravana que solía sentirse como mi hogar.

Me dirijo hacia los árboles de Navidad. Detrás de mí, puedo oír sus botas sobre los escalones de metal y el golpe de la puerta al cerrarse detrás de él. No puedo ir allí. Al menos, no en este momento. Por eso, camino entre los árboles y siento las ramas contra mis brazos y piernas. Me agacho para sentarme sobre el suelo frío en un espacio en donde las luces no puedan alcanzarme.

Trato de imaginarme que estoy en Oregon, de donde provienen estos árboles, con la mirada sobre las mismas estrellas.

Una vez que regreso a la casa rodante, apenas puedo dormir por el resto de la noche. Me levanto para correr las cortinas y veo que el sol todavía no salió. Me recuesto sobre mi cama y por la ventana veo cómo las estrellas lentamente desaparecen del cielo. Con cada segundo que pasa, más perdida me siento.

Decido escribirle a Rachel. No hemos hablado desde que falté a su actuación, pero es la persona que mejor me conoce y simplemente necesito contarle cómo me siento. Le envío un mensaje de texto pidiéndole disculpas y le digo que la extraño. También le digo que Caleb le agradaría mucho, pero que mis padres creen que me estoy involucrando demasiado con él.

Luego de un rato, me contesta:

¿Puedo ayudarte en algo?

Suspiro y cierro los ojos, agradecida de tener a Rachel en mi vida.

Le vuelvo a escribir otro mensaje:

Necesito un milagro de Navidad.

Mientras espero su mensaje por un largo rato, veo cómo el sol comienza a salir.

Finalmente, me contesta:

Solo dame dos días.

Caleb aparece al día siguiente con una gran sonrisa y trayendo un paquete envuelto en papel de tiras cómicas con demasiada cinta adhesiva. Por detrás de él, veo que mamá nos mira, no muy entusiasmada, desde el mostrador mientras atiende a un cliente.

–¿Qué es eso? –le pregunto tratando de ocultar el miedo de que papá regrese de su almuerzo–. Aparte de ser una invitación a que te enseñe a envolver cosas.

–Solo hay una manera de averiguarlo –me dice al entregarme el paquete.

El regalo se siente flexible y, cuando lo abro, puedo ver por qué. Es ese gorro ridículo de Navidad que llevaba puesto el otro día.

–No, creo que esto te pertenece.

–Lo sé, pero noté lo envidiosa que estabas al verlo –me comenta sin poder ocultar su sonrisa–. Recordé que tus inviernos son mucho más fríos que los de aquí.

Estoy segura de que no cree que lo vaya a usar, por eso, lo primero que hago es ponérmelo de inmediato.

Desliza los lados para taparme las orejas y deja las manos allí mientras se acerca para besarme. Le permito que lo haga, pero dejo mis labios cerrados. Cuando veo que no se aleja, lo hago yo.

–Lo siento –se disculpa–. No debería hacer eso aquí.

Oigo que alguien se aclara la garganta detrás de él.

–Necesito que regreses a trabajar, Sierra –me ordena mamá.

Caleb, claramente avergonzado, se queda mirando los árboles.

–¿Tendré que limpiar los baños químicos?

Nadie se ríe.

–¿Qué ocurre? –me pregunta al mirarme.

Bajo la mirada y percibo que mamá se acerca.

–Caleb –le dice–, Sierra nos ha contado cosas maravillosas de ti.

Levanto la vista y con la mirada le ruego que sea sutil con lo que dirá.

–Y sé lo que siente por ti –añade y me mira, pero ni siquiera intenta sonreír–. Pero nos marchamos en una semana y, muy probablemente, no regresemos el próximo año.

No aparto los ojos de ella, pero puedo ver que Caleb voltea hacia mí y mi corazón se rompe. Eso se suponía que lo diría yo si *fuera* necesario, y como nada estaba decidido, no lo era.

–Con su padre no nos sentimos cómodos viendo hacia dónde se encamina la relación, sin que sepan la verdad de la situación que estamos atravesando –dirige la mirada hacia mí–. Tu papá volverá en un minuto. Envuelvan eso.

Se marcha y me deja a solas con Caleb, quien, a juzgar por su expresión, siente que lo acaban de traicionar y que perdió todas las esperanzas.

–¿Se supone que tu padre no tiene que verme? –pregunta, dolido.

–Él cree que lo nuestro se está tornando muy serio –contesto–. No tienes que preocuparte, simplemente está actuando un poco sobreprotector.

–¿Sobreprotector porque no volverás?

–Eso todavía no es seguro –le aclaro sin poder mirarlo a los ojos–. Debería habértelo dicho antes.

–Bueno, ahora tienes la oportunidad –reclama–. ¿Hay algo más que no me hayas contado?

Siento que se desliza una lágrima sobre mi mejilla. Ni siquiera había notado que estaba llorando, pero me da igual.

–Andrew habló con él –le confieso–, pero ya no importa.

–¿Cómo que no importa? –me pregunta con voz rígida.

–Porque después hablé con ellos y les conté…

–¿Qué les contaste? Porque estamos hablando ahora mismo y, al parecer, nada está bien.

Levanto la mirada y me seco las lágrimas.

–Caleb…

–Esto no cambiará nunca, Sierra. Ni siquiera si tu familia se queda por más tiempo. Entonces, ¿por qué eres tan insistente conmigo?

–Caleb… –trato de alcanzar su mano, pero se aleja de mí–. No lo hagas.

–Dije que tú lo valías, Sierra, y sigue siendo cierto, pero no sé si la situación en la que estamos lo vale. Y estoy seguro de que yo no lo valgo.

—Claro que sí –le replico–, Caleb, tú...

Voltea para salir de la Administración y camina directo a su camioneta. Una vez dentro, la enciende y se marcha.

Al día siguiente, papá regresa de la oficina de correos y coloca un paquete grande a mi lado sobre el mostrador. Ya van veinticuatro horas en las que papá y yo no nos hemos hablado. Nunca estuvimos en una situación como esta, pero no puedo perdonarlo. En la parte superior del envoltorio hay un corazón rojo dibujado alrededor del nombre *Elizabeth Campbell* en la dirección del remitente. Luego de atender a otros dos clientes, abro el paquete.

Dentro encuentro un sobre con una carta y una caja roja brillante del tamaño de un disco de hockey. Levanto la tapa de la caja, saco varias capas de algodón y me encuentro con el trozo de madera de mi primer árbol. En los bordes noto que aún conserva parte de su dura corteza. En el centro está el árbol de Navidad que dibujé cuando tenía once años. Hace dos días, hubiera estado ansiosa pensando en cómo reaccionaría Caleb cuando se lo regalara. Sin embargo, en este momento, no siento nada.

Cuando veo que un cliente se acerca al mostrador, vuelvo a colocar la tapa en la caja. Una vez que se marcha, tomo la carta y la abro. A pesar de haber sido Elizabeth quien me envió el trozo de madera, fue Rachel quien escribió la nota.

"Espero que esto te ayude con ese milagro de Navidad que pediste".

Junto a la carta, veo que hay dos entradas para el baile de invierno. En la parte superior, está la inscripción *El cristal del amor* en letras rojas de fantasía. A la izquierda, hay una pareja bailando dentro de un globo de nieve a medida que cae brillantina plateada a su alrededor.

Cierro los ojos.

CAPITULO 20

Para el almuerzo, me dirijo a la caravana y cubro la caja roja con una almohada. Saco de la ventana la foto con Caleb y coloco las dos entradas entre el marco de cartón y la imagen.

Antes de perder la valentía, me encuentro con papá y le pido que me acompañe a caminar. Ya he dejado pasar mucho tiempo para este momento. Lo ayudo a sujetar un árbol al automóvil de un cliente y nos marchamos juntos.

–Necesito que lo reconsideres –le planteo–. Tú dijiste que no todo es por lo que hizo Caleb en el pasado, y te creo.

–Bien, porque…

Lo interrumpo.

–Dijiste que también es porque nos queda poco tiempo aquí y que me estoy involucrando demasiado con él. Tienes razón, así es. Sé que eso seguramente te incomoda por muchas razones, pero también estoy segura de que no dirías nada si no pudieras usar su pasado como excusa.

—No lo sé, tal vez, pero aun así…

—Y mientras yo estoy mal porque no es justo para Caleb, tú te olvidas de la única persona que debería importarte a ti.

—Sierra, tú eres lo único en lo que pienso —agrega—. Sí, es difícil ver a mi pequeñita enamorarse. Y sí, es difícil olvidar su pasado. Pero, más aún sería verte con el corazón roto.

—¿Esa no se supone que debe ser mi decisión? —pregunto.

—Claro que sí, si eres consciente de la situación —se detiene y se queda mirando a la calle—. Todavía no lo hemos hablado con tu madre, pero es muy probable que no regresemos el próximo año.

—Lo siento mucho, papá —le digo acariciando su brazo.

Aún con la vista sobre la calle, pasa un brazo por encima de mí y recuesto mi cabeza contra su pecho.

—Yo también —murmura.

—Entonces, en general, es por cómo me sentiré cuando nos marchemos —agrego.

Al mirarlo a los ojos, entiendo que soy lo más importante para él en este momento.

—No te imaginas lo difícil que será —trata de explicar.

—Entonces, cuéntame —reclamo—. Porque tú sabes. ¿Qué fue lo que hiciste cuando conociste a mamá por primera vez y tuviste que marcharte?

–Fue horrible –contesta–. Creí que no llegaríamos a nada. Incluso, nos dimos un tiempo y salimos con otras personas. Ese maldito momento casi me mata.

Lo siguiente que le pregunto es algo que estuve pensando desde hace mucho tiempo.

–Pero ¿valió la pena?

Sonríe y voltea para mirar hacia el lote.

–Claro que sí.

–Entonces, ahí lo tienes –replico.

–Sierra, tu mamá y yo ya habíamos estado en otras relaciones serias antes. Esta es la primera vez que te enamoras.

–¡Nunca dije que estaba enamorada!

–No hace falta que lo digas –me dice riendo.

Nos quedamos mirando a los automóviles y sujeto su brazo con fuerza.

Baja la mirada y suspira.

–Tendrás el corazón roto en pocos días –asegura–. Así será. Pero no te lastimaré más no dejándote ver a Caleb.

Lo abrazo y le digo que lo quiero mucho.

–Lo sé –susurra–. Y sabes que tu madre y yo estaremos aquí para ayudarte a que te sientas mejor.

Regresamos al lote abrazados.

–Necesito que consideres una sola cosa –agrega–. Piensa en cómo terminará la temporada para ustedes. Porque de todas formas, ocurrirá. No lo olvides.

Cuando nos encontramos con mamá en la Administración, corro hacia la casa rodante para llamar a Caleb.

–Ven aquí ahora mismo y compra un árbol –le ordeno–. Tienes entregas que hacer.

Es de noche cuando Caleb entra al estacionamiento y Luis me ayuda a mover un pesado árbol hacia su camioneta.

–Espero que este quepa en el lugar donde piensan entregarlo –comenta Luis.

Caleb se baja y se dirige hacia la parte trasera de su camioneta para abrir la cajuela.

–Ese parece exceder lo que puedo pagar –admite–, incluso con el descuento.

–No –le contesto–, es gratis.

–Es un regalo de sus padres –agrega Luis–. Están durmiendo ahora mismo, entonces…

–Estoy aquí, Luis –lo interrumpo–. Yo le puedo contar.

Luis se pone colorado y regresa hacia el lote, donde un cliente espera para que le envuelva el árbol en la red. Mientras tanto, Caleb me mira confundido.

–Hablé con mi papá –le cuento.

–¿Y?

–Y ellos confían en mí –le explico–. También les encanta lo que haces con sus árboles, por eso quisieron donar este para la causa.

Mira hacia la caravana y esboza una sonrisa.

–Supongo que cuando regresemos les puedes decir si su donación pudo entrar en la casa a donde la llevamos.

Luego de la entrega y ver la cara de *extrema* felicidad del niño de cinco años mientras intentábamos hacer pasar el inmenso árbol por la puerta, Caleb maneja hacia el *Cardinals Peak*. Se estaciona frente a la puerta de metal y se prepara para bajar de la camioneta.

–Espera aquí mientras la abro. Podemos subir hasta la cima y, si tú quieres, me encantaría ver tus árboles.

–Entonces, apaga el motor –le indico–. Subiremos a pie.

Levanta la vista hacia la oscura colina.

–¿Qué? ¿Tienes miedo de dar una pequeña caminata nocturna? –le pregunto burlándome–. Estoy segura de que traes una linterna, ¿no es así? Por favor, ¡no me digas que manejas una camioneta y no tienes una linterna!

–Claro que sí –contesta–, de hecho, tengo una.

–Perfecto.

Pone reversa para estacionar la camioneta en un claro de tierra a un lado del camino y toma la linterna de la guantera.

–Solo hay una –comenta–. Espero que no te moleste caminar cerca de mí.

–Uh, si así tiene que ser –le digo con ironía.

Se baja de la camioneta y se acerca para abrirme la puerta. Nos subimos la cremallera de nuestros abrigos hasta el tope mientras observamos la enorme silueta del *Cardinals Peak*.

–Me encanta venir hasta aquí –confieso–. Cada vez que subo esta colina, siento… como si… como si mis árboles fueran una metáfora muy profunda de mí.

–¡Guau! –exclama Caleb–. Eso es, probablemente, lo más profundo que te oí decir.

–Oh, cállate –le digo con modestia–. Dame esa linterna.

–Lo digo en serio. ¿Te importaría si lo uso para la escuela? A mi profesora de Literatura le encantará –me dice mientras camina a mi lado. Tomo la linterna de su mano y le doy un pequeño empujón con el hombro.

–Oye, crecí en una granja de árboles de Navidad, tengo permitido ponerme sentimental sobre esto, incluso si no puedo demostrarlo con palabras.

Me encanta la manera tan natural en que bromeamos con Caleb. Lo más difícil todavía sigue presente, no podemos evitar que llegue el día que me marche, pero hemos encontrado la manera de valorarnos el uno al otro en este momento.

Hace mucho más frío que la noche del Día de Acción de Gracias cuando vinimos con Heather. A medida que subimos, no hablamos mucho, simplemente, disfrutamos estar cerca el uno del otro para contrarrestar el frío de la noche. Antes de tomar la última vuelta, le hago señas con la linterna para que me acompañe fuera del camino entre unos arbustos a la altura de mis rodillas. Sin quejarse, me sigue a varios metros de distancia.

La luz de la luna creciente no alumbra este lado de la colina. Cuando llegamos a un claro, muevo la linterna lentamente para iluminar cada uno de mis árboles con el pequeño rayo de luz.

Caleb se acerca y coloca un brazo sobre mi hombro para envolverme suavemente. Giro la cabeza para mirarlo, veo que observa con atención los árboles. Me suelta y camina hacia mi pequeña granja con mucha felicidad, mientras voltea de a ratos para verme.

—Son hermosos —dice al inclinarse y aspirar el aroma de uno de los árboles—. Tal y como la Navidad.

—Lucen así gracias a Heather que sube todos los veranos para podarlos —le comento.

—¿No crecen así de manera natural?

—No todos —le comento—. A papá le gusta decir que todos necesitamos un poco de ayuda para mantener el espíritu.

—A tu familia le gusta usar metáforas —me dice Caleb colocándose detrás de mí para abrazarme con fuerza y apoya su barbilla sobre mi cabeza.

Por varios minutos, nos quedamos en silencio mirando los árboles.

—Me encantan —dice—. Son tu pequeña familia de árboles.

Me hago a un lado para mirarlo a los ojos.

—¿Y ahora quién está siendo sentimental?

—¿Alguna vez se te ocurrió decorarlos? —pregunta.

—Con Heather una vez lo hicimos, de la manera menos contaminante y más natural posible, claro. Utilizamos piñones, frutos del bosque y flores, además de algunas estrellas que compramos hechas con comida de aves y miel.

–¿Les trajiste regalos a los pajaritos? –pregunta–. Qué tierno.

Nos encaminamos para descender por donde vinimos y volteo una vez más para ver mis árboles. Probablemente, esta sea la última vez que los vea antes de que me marche. Sostengo a Caleb por la mano, sin saber cuántas veces más podré hacer esto en mi vida. Luego, veo que señala el lote de mi familia. Desde aquí arriba, luce como un pequeño rectángulo apenas iluminado. Los postes de luz y las luces con forma de copos de nieve entre los árboles hacen que su color verde se vea aún más brillante. Allí está la Administración y la caravana plateada. Puedo ver varias personas moverse entre los árboles, una mezcla de clientes, empleados, y tal vez, mamá y papá. Caleb se coloca a mi lado y me sujeta fuerte en sus brazos.

Este es mi hogar, pienso. *Allí abajo… y aquí arriba.*

Me toma del brazo con el cual sostengo la linterna y lo levanta lentamente hacia mis árboles para iluminarlos.

–Cuento cinco –me dice confundido–. Creí que habías dicho que eran seis.

Mi corazón se detiene y vuelvo a dirigir el rayo de luz hacia los árboles.

–Uno, dos… –mi corazón se destroza cuando solamente cuento cinco. Corro entre los arbustos moviendo la linterna rápidamente de un lado a otro–. ¡Es el primero! ¡El más grande!

Caleb aparece por detrás entre los arbustos. Antes de que pueda alcanzarme, golpea algo con su pie. Apunto la linterna hacia donde se encuentra parado y me llevo las manos a la boca sin poder creerlo. Me arrodillo a un lado del tronco, que es lo único que queda del árbol más viejo. Sobre este, puedo ver pequeñas gotas de savia seca.

Caleb se arrodilla a mi lado y hace a un lado la linterna para tomarme de las manos.

–Alguien se enamoró de él –me dice para tranquilizarme–. Seguramente, esté en su casa ahora, decorado y luciendo muy bello. Es como un regalo que…

–Era un regalo que *yo* debía hacer –lo interrumpo–. No para que otra persona lo haga.

Se acerca a mí y apoyo mi mejilla contra su hombro. Luego de estar varios minutos así, nos preparamos para bajar. Caminamos lentamente sin decir nada y él me guía cuidadosamente para que no caiga en algún hueco o tropiece con una piedra.

De repente, se detiene y mira a un lado de la carretera. Sigo su mirada a medida que se acerca a algo. Apunto la linterna hacia allí y veo las ramas verdes de mi árbol, tirado entre los arbustos secándose.

–¿Simplemente lo dejaron aquí? –pregunto indignada.

–Al parecer, tu árbol dio pelea.

Caigo de rodillas y no retengo las lágrimas.

–¡Odio a quien haya hecho esto!

Caleb se acerca y coloca su brazo sobre mi espalda, sin decir nada. No me dice que todo va a estar bien o que deje de hacer tanto escándalo por un árbol. Simplemente, me entiende.

Luego de un rato, me levanto. Me seca algunas lágrimas del rostro y me mira a los ojos. Sigue en silencio, pero sé que está conmigo.

–Desearía poder explicar por qué estoy actuando de esta manera –le digo. Al ver que cierra los ojos, entiendo que no es necesario.

Vuelvo a mirar el árbol. Quien sea que lo haya visto allí arriba, seguro pensó que era hermoso. Creyeron que podrían hacerlo quedar aún más bello, y lo intentaron, de verdad lo querían, pero fue demasiado para ellos.

Entonces, decidieron abandonarlo.

–No quiero estar aquí –le comento.

Caleb camina detrás de mí apuntando su linterna a mis pies, y guío el camino de regreso a la camioneta.

Cuando Heather me llama para ver si puede pasar por el lote, le cuento lo que ocurrió con el árbol en el *Cardinals Peak* y que en este momento no soy la mejor compañía que pueda tener. Como me conoce muy bien, aparece de todas formas. Me dice que he estado actuando como un "fantasma entrega árboles" este año y que está triste por no haber podido pasar mucho tiempo conmigo. Le recuerdo que cada vez que tenía una hora o dos libres, ella estaba con Devon.

–Demasiado tiempo para la "Operación descarta al novio" –le digo.

Heather me ayuda a reponer la mesa de las bebidas.

–Supongo que nunca quise dejarlo, simplemente, quería que sea un mejor novio. Habíamos empezado bien la relación, pero después se volvió… no lo sé…

–¿Confiado?

–Claro. Usaremos una de tus palabras –me dice luego de suspirar.

La pongo al día con lo que ocurrió con Andrew y papá, y le cuento sobre las dos charlas que tuve con mis padres para hacerles entender por qué no me parece bien que no me dejen salir con Caleb antes de que nos marchemos.

–Mi chica al fin está diciendo lo que piensa –comenta Heather al tomar mi mano y apretarla–. Espero que puedas volver el próximo año, Sierra. Pero en caso de que no, me alegra saber que ahora todo se esté dando de esta manera.

–Eso creo –le digo con dudas–. Pero ¿era necesario que sea tan complicado?

–Bueno, ahora significa mucho más –me contesta–. Toma como ejemplo lo que me sucedió con Devon. Él estaba actuando confiado, ¿sí? Todos los días eran iguales y muy aburridos. Estaba buscando la forma de terminar con él, cuando, de repente, ocurrió el incidente con la Reina del Invierno. Provocó tensión entre ambos por un tiempo, pero luego, me terminó dando el mejor día de mi vida. Nos ganamos esta etapa de la relación. Y tú y Caleb, definitivamente, se ganaron los próximos días.

–Creo que hemos ganado suficiente para varios años –agrego–. Y Caleb ganó suficiente para toda su vida.

Una hora más tarde, Heather se marcha para continuar preparando el regalo sorpresa para Devon. El resto del día pasa muy lentamente, con clientes ingresando al lote como hormigas. Por la noche, cuento el dinero en la caja registradora y guardo todo aquello que necesite estar bajo llave.

Mamá pasa por detrás de mí mientras apago las luces con forma de copos de nieve.

–Con papá quisiéramos llevarte a cenar –me propone.

Nos dirigimos hacia el *Breakfast Express* y cuando entramos al vagón de tren, veo a Caleb rellenándole la taza de café a un señor a pocas mesas de nosotros.

–Vuelvo en un minuto –le dice sin levantar la vista.

–Tómate tu tiempo –me dice papá sonriendo.

Caleb debe estar muy cansado. Nos mira desde lejos antes de reconocernos y, cuando se da cuenta, ríe y toma algunos menús.

–Luces cansado –le comento.

–Uno de los empleados faltó por estar enfermo y tuve que venir más temprano –me explica–. Por lo menos, recibiré más propinas.

Lo seguimos hacia una mesa vacía cerca de la cocina. Una vez que nos sentamos, coloca las servilletas y los cubiertos.

–Seguramente, mañana pase a comprar dos árboles –agrega–. La gente todavía está comprando árboles, ¿no es así? ¿Aunque estemos tan cerca de Navidad?

–Todavía está abierto –le contesta papá –. Pero no estamos tan ocupados como tú aquí.

Caleb se marcha para traernos un poco de agua. Lo sigo con la mirada a medida que se aleja agitado, pero encantador. Cuando vuelvo a mirar a la mesa, veo que papá está sacudiendo la cabeza de lado a lado.

–Deberás aprender a ignorar a tu padre –me sugiere mamá–. Así fue como lo hice yo.

Papá le da un beso en la mejilla. Luego de veinte años, ella sabe muy bien cómo hacer para que se calle cuando está haciendo el ridículo, pero de una manera que le resulta agradable.

–Mamá, ¿alguna vez quisiste hacer algo aparte de trabajar en la granja? –le pregunto.

–No es para lo que estudié, si eso es lo que quieres decir –me contesta confundida.

Caleb regresa con tres vasos de agua y tres pajillas.

–¿Saben lo que ordenarán?

–Lo siento –dice mamá–. Ni siquiera miramos los menús.

–No se preocupen, está perfecto –responde Caleb–. Hay una *hermosa* pareja, estoy siendo sarcástico, que aparentemente necesita de mi ayuda.

Se marcha a toda prisa y mamá y papá toman sus menús.

–Pero ¿alguna vez pensaste en ello? –le pregunto–. ¿Cómo sería tu vida si no cambiara por completo durante las vacaciones?

Mamá baja su menú y estudia mi expresión.

–¿Te arrepientes de esto, Sierra?

–No –le respondo–, pero es lo único que conozco. Tú, por lo menos, tuviste algunas Navidades normales antes de casarte. Tienes algo para poder comparar.

–Nunca me arrepentí de la vida que elegí –me explica mamá–. Y fue mi elección, así que puedo estar orgullosa de ello. Decidí llevar esta vida junto a tu padre.

–Fue una vida bastante interesante –agrega papá.

Aparento estar leyendo el menú.

–Ha sido un año muy interesante.

–Y solo quedan pocos días para que nos marchemos –añade mamá. Cuando levanto la vista, veo que mira a papá con tristeza en sus ojos.

La tarde siguiente, Caleb entra al lote en su camioneta con Jeremiah en el asiento del acompañante. Por la forma en que los veo reír y hablar, parecen ser dos amigos que nunca tuvieron un momento de tristeza en su relación.

Luis camina hacia ellos y se quita los guantes de trabajo para estrecharles las manos. Mantienen una breve charla los tres hasta que Caleb y Jeremiah se encaminan hacia la Administración.

–¡Chica del lote! –exclama Jeremiah al verme y levanta su puño para chocarlo con el mío–. Mi amigo dice que necesitarás ayuda extra para cerrar este lugar en Navidad. ¿Dónde me apunto?

–¿Acaso no tienes planes con tu familia? –pregunto.

–Nos entregamos los regalos la noche anterior antes de la misa –me explica–. Luego nos vamos a dormir y, al otro día, miramos los partidos de fútbol. Aunque, en cierto modo, te debo una, ¿sabes?

–Entonces, ¿está todo bien entre ustedes? –les pregunto abarcándolos con la mirada.

–Mis padres no saben que estoy aquí en este momento. Cassandra me está cubriendo –me dice bajando los ojos.

–Lo cubre solo con una condición –añade Caleb con un guiño–. Que este chico, en Nochebuena, sea el conductor designado para todo el plantel de porristas.

–Es un trabajo duro, pero pueden contar conmigo –dice Jeremiah riendo y comienza a alejarse de nosotros–. Voy a buscar a tu papá para preguntarle por el cierre.

–¿Qué hay de ti? –le pregunto a Caleb–. ¿Ayudarás a desarmar el lugar?

–Me encantaría pasar el resto del día aquí si pudiera –admite–, pero tenemos ciertas tradiciones que no me gustaría perder. Lo entiendes, ¿verdad?

–Claro, está bien. Me alegra saber que pueden estar todos juntos –respondo.

Aunque de verdad así lo creo, no estoy feliz con el hecho de que se acerque la Navidad.

–Si puedes hacerte un tiempo para escabullirte, estaré en la casa de Heather por un rato, intercambiando regalos con ella y Devon.

Sonríe, pero sus ojos transmiten la misma tristeza que tengo yo.

–Lo intentaré.

Mientras esperamos que regrese Jeremiah, ninguno de los dos sabe qué más decir. La fecha de partida se siente tan real ahora… y tan cerca. Hace algunas semanas, sentía que este día no llegaría nunca. Tuvimos tiempo de ver qué podría haber pasado y cuánto podríamos enamorarnos. Ahora se siente como si todo hubiera pasado muy tarde.

Caleb me toma de la mano y me lleva hacia la parte trasera de la caravana, lejos de la vista de todos. Antes de que pueda preguntarle qué estamos haciendo, me besa.

Nos besamos como nunca antes y me resulta imposible dejar de preguntarme si esta en verdad *es* la última vez.

Cuando se aleja de mí, sus labios están muy rojos y un poco hinchados. Los míos se sienten de la misma manera. Coloca sus manos sobre mis mejillas y juntamos nuestras frentes.

—Lamento no poder ayudarlos en Navidad —se disculpa.

—Nos quedan pocos días —le recuerdo—. No sé qué es lo que haremos.

—Ven conmigo a la misa a la luz de las velas —me invita—. Esa que te contó Abby.

Vacilo por un momento al recordar que hace mucho tiempo que no voy a la iglesia. Supongo que, al ser Nochebuena, debería estar rodeado de personas que crean y sientan lo mismo que él.

—Quiero que estés allí, ¿sí? —me dice al sonreír y noto que su hoyuelo vuelve a aparecer.

—Está bien —le respondo con una sonrisa.

Comienza a caminar hacia el lote, pero lo tomo de la mano y lo traigo hacia mí.

—¿Qué necesitas ahora? —me pregunta al levantar una ceja asombrado.

—La palabra del día —lo desafío—. ¿O ya no me quieres impresionar más?

—No puedo creer que dudes de mí —ríe—. La verdad es que estoy muy interesado por estas palabras raras. La de hoy es *diáfano*.

–Otra que no conozco –le digo al abrir los ojos, sorprendida.

–¡Sí! –exclama levantando sus brazos en señal de victoria.

–Está bien, esa puede ser la palabra –le digo alzando una ceja–, pero ¿qué significa?

Él también levanta una ceja antes de contestar.

–Es algo delicado o translúcido. Un momento, sabes lo que significa *translúcido*, ¿verdad?

Me empiezo a reír y salimos del escondite. Luis nos hace señas con las manos y se acerca trotando.

–Con los chicos elegimos el mejor árbol para ti –le indica a Caleb. Es grandioso ver a Luis formar parte de la familia del lote–. Lo acabamos de subir a tu camioneta.

–Gracias, amigo –le dice Caleb–. Pásame la etiqueta para pagarlo.

–No, este corre por nuestra cuenta –aclara Luis.

Caleb me mira confundido.

–Los chicos del equipo de béisbol creen que es grandioso lo que haces con los árboles –agrega Luis–. Y yo también lo creo. Por eso, decidimos tomar algunos dólares de nuestras propinas y comprar este árbol.

Golpeo a Caleb con el hombro. Sus buenas acciones contagian. Luis me mira un poco nervioso antes de hablarme.

–No te preocupes, no utilizamos el descuento para empleados.

–Oh, no tienes que preocuparte por eso –respondo.

CAPITULO 21

Un día antes de Navidad, Heather pasa a buscar a Abby para venir al lote. Últimamente, Abby ha estado molestando a Caleb para ver si podría venir a ayudarme aquí, porque, al parecer, desde pequeña siempre quiso trabajar en un lote de árboles. Aunque eso suene algo exagerado, me hace feliz saber que puedo satisfacer su fantasía.

Al fondo de la Administración, colocamos dos caballetes y apoyamos una tabla de madera del tamaño de una puerta sobre ellos. La llenamos de recortes de los árboles y las tres los guardamos en bolsas de papel para que los clientes los puedan llevar a sus hogares. A la mayoría de las personas les gusta decorar la mesa o las ventanas con estos recortes antes de que sus familias lleguen a sus casas. Las bolsas desaparecen tan rápido como podemos rellenarlas.

–¿Cuál es el regalo secreto para Devon esta Navidad? –le pregunto–. Apuesto a que se trata de un suéter de Navidad.

–Bueno, la verdad es que lo pensé –me cuenta–, pero decidí hacer algo mucho mejor. Espera aquí.

Se dirige hacia el mostrador a toda prisa para buscar su bolso. Con Abby nos miramos y nos encogemos de hombros, intrigadas. Cuando regresa, trae consigo una roja, verde y corta... ¿*bufanda*?

–Mi madre me ha estado enseñando a tejer –nos explica.

–La Navidad es en dos días, Heather –me muerdo los labios para reprimir la risa.

–No pensé que quedaría tan corta –dice al mirar, vencida, la bufanda–. Pero ya sé que, apenas salga de aquí, me encerraré en mi habitación por el tiempo que sea necesario para terminarla, mientras veo videos de gatitos.

–Si es lo único que tienes –agrego-, creo que es la manera perfecta de indagar sobre su amor.

–Lo olvidé, ¿qué significa *indagar*? –me pregunta Abby y con Heather estallamos de la risa.

–Lo que creo que significa –le explica Heather mientras guarda la bufanda en su cartera– es que si Devon en verdad me ama, usará esta bufanda como si fuera lo más bello que jamás le hayan regalado.

–Eso es lo que significa –digo–, pero no es una prueba justa.

–Tú la habrías usado si te la regalaba a ti –alega Heather y tiene razón–. Si él no puede demostrarme ese mismo entusiasmo, no merece que le dé su verdadero regalo.

–Y, ¿cuál es? –pregunta Abby.

–Entradas para un festival de comedia –contesta.

–Mucho mejor –agrego.

Heather le cuenta a Abby sobre el día que le hizo pasar Devon como un regalo anticipado de Navidad. Abby nos cuenta que, algún día, le gustaría tener un novio que la lleve de picnic a la cima del *Cardinals Peak* y Heather sonríe mientras rellena la próxima bolsa.

–No es que *él* lo haya pasado mal allí arriba.

Le arrojo algunas ramas de árboles. No hace falta que explique todo eso con la hermana de Caleb parada justo aquí.

Una vez que la mamá de Abby la recogió, la conversación se vuelve a centrar en mi vida amorosa.

–Siento que todavía queda mucho para nosotros aquí, pero me voy tan pronto.

–Y, ¿ya se decidió algo sobre el próximo año?

–No sabría decirte –le contesto–. De hecho, hay muchas dudas. No sé qué haré si no te veo el próximo invierno.

–No se sentirá como todas las Navidades, eso es seguro –expresa Heather.

–Durante toda mi vida, siempre me pregunté cómo sería quedarse en casa luego del Día de Acción de Gracias –le explico–. Poder tener la oportunidad de vivir una Navidad blanca y experimentar todas las cosas que la gente normal hace durante las vacaciones. Pero, para ser honesta, preguntarse eso no es lo mismo que quererlo.

Para este entonces, ya hemos terminado de llenar bolsas.

–¿Ya has hablado con Caleb sobre esto?

–Siempre está presente cada vez que hablamos.

–¿Qué hay de las vacaciones de primavera? –me pregunta-. No hace falta que esperes tanto tiempo para volverlo a ver.

–Visitará a su padre –le contesto y pienso en las entradas para el baile de invierno que escondí detrás de la fotografía. Para poder entregárselas, tengo que estar segura de qué etapa de la relación estamos atravesando. Tendría que saber qué es lo que ambos queremos. Significaría abandonar este lugar con la esperanza de poder estar juntos.

–Si pude solucionar todo con Devon –comenta Heather–, ustedes también pueden.

–No estoy tan segura de ello –replico–. Ustedes pueden estar juntos mientras solucionan todo.

Luego de cerrar el lote en Nochebuena, con mis padres cenamos dentro de la caravana *Airstream*. La carne asada se estuvo cocinando en la olla *Crock-Pot* de cocción lenta durante todo el día, por lo que, aquí dentro, hay un aroma delicioso. El padre de Heather nos trajo pan de maíz que él mismo hizo. Desde la otra punta de la pequeña mesa, papá me pregunta sobre el hecho de no volver aquí el próximo año.

Tomo un trozo de pan antes de contestar.

—Está fuera de mi control —le explico—. Al igual que todas las veces que cerramos en Nochebuena, aquí es donde nos sentamos a comer. Lo único distinto es esa pregunta.

—Eso es desde *tu* perspectiva —aclara mamá—. Desde este lado de la mesa, cada año es distinto.

Tomo un trozo de mi pan de maíz y lo mastico lentamente.

—Mucha gente desea lo mejor para ti —agrega papá—. Aquí dentro, en esta ciudad, en Oregon…

Mamá se inclina sobre la mesa y me toma de la mano.

—Estoy segura de que sientes que todos estamos tratando de llevarte en distintas direcciones, pero eso es porque nos preocupamos por ti. Al menos, espero que este año haya servido para que lo entiendas.

—Incluso si terminas con el corazón roto —añade papá como de costumbre.

Mamá le da un empujón en el hombro.

—En la preparatoria, el Sr. Cínico, tu padre, se pasó todo el verano en el campamento de béisbol luego de haberme conocido durante el invierno.

–Te llegué a conocer muy bien esa vez –comenta papá.

–¿Qué tanto me podrías haber conocido en tan pocas semanas? –le pregunta mamá.

–Bastante bien –añado–. Confía en mí.

Papá coloca su mano sobre la mía y la de mamá.

–Estamos orgullosos de ti, cariño. Cualquier cosa que ocurra con el negocio familiar, lo haremos funcionar como una familia. Y sea lo que sea que tú decidas con Caleb, nosotros... tú sabes... podemos...

–Te apoyamos –interviene mamá.

–Claro, eso –afirma papá y se inclina para abrazar a mamá–. Confiamos en ti.

Me dirijo hacia su lado de la mesa y nos damos un fuerte abrazo familiar. Puedo sentir que papá estira su cuello para mirar a mamá.

Cuando vuelvo a sentarme en mi silla, mamá pide permiso y se levanta. Se encamina hacia su habitación para buscar algunos regalos que trajimos desde Oregon. El más impaciente de todos es papá, se parece mucho a Caleb en ese sentido, por lo que abre su regalo primero.

–¿Un duende en un estante[2]? –pregunta alejando la caja a un brazo de distancia mientras se toca la nariz–. ¿Es en serio?

Con mamá nos morimos de la risa. Papá se queja de ese muñeco cada año, asumiendo que nunca tendría uno, ya

---

2. N.del T.: Una tradición navideña. Es un pequeño duendecito rojo que "vigila" a los niños para informar a Santa Claus si se han portado bien y merecen sus regalos.

que pasa todo el mes de diciembre en una caravana lejos de casa.

—El plan era —le explica mamá— que Sierra y yo lo esconderíamos en casa cuando tú vinieras para California.

—Y luego —agrego inclinándome para provocar un efecto más intenso—, hubieras pasado un mes entero preguntándote dónde estaría.

—Eso me habría vuelto loco —ríe papá. Toma el duende de la caja y lo cuelga de cabeza—. Se superaron este año.

—Supongo que el lado positivo —agrego— es que ahora podrás verlo todos los días en casa.

—También existe otra posibilidad —retruca—, no siempre se necesita un lado positivo.

—Está bien, mi turno —interviene mamá.

Cada año, ella quiere que la sorprendamos con diferentes lociones aromáticas para el cuerpo. Ya que, durante todo un mes está rodeada de árboles de Navidad, ella disfruta sentir un aroma diferente para recibir el nuevo año, a pesar de que el otro le encante.

Desenvuelve el regalo de este año y voltea los frascos para leer las etiquetas.

—¿Pepino y regaliz? ¿Cómo rayos hiciste para encontrar esto?

—Son tus dos aromas favoritos —le recuerdo.

Abre uno de los frascos para olerlo, y luego pone unas gotas en su mano.

—¡Es increíble! —exclama al frotar sus manos.

Papá me entrega una pequeña caja plateada. Abro la tapa y retiro un trozo de algodón. En el fondo de la caja, puedo ver unas llaves relucientes.

–¡Me compraste un automóvil!

–Técnicamente, es la camioneta de tu tío Bruce –aclara mamá–, pero tapizaremos el interior del color que tú quieras.

–No está preparada para largos viajes –agrega papá–, pero es grandiosa para andar por la granja y la ciudad.

–¿Te molesta que sea esa camioneta? –pregunta mamá preocupada–. No pudimos pagar lo que…

–Gracias –la interrumpo. Doy vuelta la caja para que las llaves caigan en mi mano. Luego de sentir su peso por varios segundos, me levanto de mi silla rápidamente y los abrazo muy fuerte a ambos–. Es increíble.

Por una cuestión de tradiciones, luego de dejar los cubiertos sucios en el fregadero, nos acostamos en la cama de mis padres y miramos *Cómo el Grinch robó la Navidad* en mi computadora. Como siempre, mamá y papá se duermen cuando el corazón del *Grinch* creció tres veces su tamaño ese día. Yo todavía estoy despierta y con un nudo inmenso en el estómago, porque ahora es tiempo de prepararse para ir a la misa a la luz de las velas con Caleb.

Esta noche no hace falta que me pruebe diferentes atuendos. Antes de siquiera moverme de la cama de mis padres, me decido por usar una falda negra y una blusa blanca. Voy al baño para alisarme el cabello y cuando me estoy maquillando, veo a mamá por el espejo sonriendo detrás de mí. En sus manos tiene un nuevo suéter de lana rosado.

–En caso de que haga frío afuera –agrega.

–¿Dónde lo conseguiste? –le pregunto volteando para recibir el regalo.

–Fue idea de tu padre –contesta–. Quería que usaras algo nuevo esta noche.

–¿Papá lo eligió? –le pregunto sorprendida al tomar el suéter, y mamá comienza a reír.

–Claro que no. Y gracias a Dios, porque si él lo hubiera elegido, probablemente, te habría cubierto con más que un traje para la nieve –me explica–. Me pidió que te comprara algo cuando ustedes estaban guardando las ramas de los árboles en las bolsas.

Me miro al espejo y coloco el suéter por delante de mí.

–Dile que me encanta –expreso y la veo sonreír por el reflejo.

–Si lo puedo despertar luego de que te marches, comeremos algunas palomitas de maíz mientras miramos *Blanca Navidad*.

Hacen eso todos los años, por lo general, conmigo acurrucada entre ellos.

–Siempre admiré que nunca se aburrieran de la Navidad –reconozco.

–Cariño, si alguna vez nos pasara eso –me explica–, venderíamos la granja y haríamos otra cosa distinta. Lo que nosotros hacemos es especial, y es bueno saber que Caleb lo valore tanto.

Oigo un golpe suave en la puerta. Mi corazón comienza a latir cada vez más fuerte mientras mamá me ayuda a ponerme el suéter sin despeinarme. Antes de que pueda darle un último abrazo, camina hacia su habitación y cierra la puerta.

CAPÍTULO 22

Abro la puerta con la esperanza de encontrarme con mi irresistible cita de Nochebuena. Pero, en su lugar, me encuentro con Caleb que viste un suéter muy ajustado con la cara del reno Rodolfo estirada y unos pantalones marrones. Debajo del suéter tiene puesta una camisa púrpura abrochada hasta arriba. Me tapo la boca al verlo y sacudo la cabeza.

–¿Y bien? –me dice al abrir los brazos.

–Por favor, dime que no le pediste prestado eso a la mamá de Heather –le contesto.

–¡Sí! –exclama–. Claro que sí. Era uno de los pocos que aún tenían las mangas.

–Está bien, aunque me guste mucho que mantengas el espíritu, no podré concentrarme en la misa si usas eso. Se ve que no tienes idea de por qué la mamá de Heather tiene eso disponible.

Suspira y, sin ganas, se saca el suéter por el cuello, pero se queda atorado en sus orejas y tengo que intervenir para ayudarlo. Ahora sí está vestido como mi irresistible cita.

Es una noche de invierno muy fría. La mayoría de las casas a los alrededores dejan las luces de Navidad encendidas hasta tarde. Algunas de ellas parecen como si fueran estalactitas de hielo que cuelgan de los tejados de los hogares y otras iluminan lo renos de metal que aparentan comer hierba de los jardines. Mis favoritas son las de diferentes colores.

—Luces hermosa —me dice Caleb. Levanta mi mano mientras caminamos y acaricia cada dedo con sus labios.

—Gracias —le contesto—. Tú también.

—¿Ves? Estás mejorando en esto de recibir cumplidos.

Lo miro y sonrío. Las luces azules y blancas de las casas más cercanas se reflejan en sus mejillas.

—Cuéntame sobre esta noche —le pido—. Supongo que habrá mucha gente.

—Se hacen dos misas en Nochebuena —me explica—. La que se hace más temprano es para las familias, hay un desfile y muchos chicos de cuatro años disfrazados de ángeles. La misa de medianoche, que es a la que asistiremos, es más tranquila. Se parece al gran discurso de Linus en *La Navidad de Charlie Brown*.

—Me encanta Linus —le comento.

—Así me gusta —dice—, porque, sino, la noche tendría que haber terminado ahora mismo.

Andamos el resto del camino, colina arriba, tomados de la mano en silencio. Cuando llegamos a la iglesia, noto que el estacionamiento está lleno. Hay muchos automóviles estacionados en el borde de la acera e, incluso, veo a varias personas a pie.

Cuando llegamos a la puerta de cristal de la concurrida iglesia, Caleb se detiene frente a mí antes de entrar.

—Desearía que no te tuvieras que marchar —me dice mirándome a los ojos.

Aprieto su mano, pero no sé qué decirle.

Abre la puerta y se hace a un lado para que yo pueda pasar primero. La única luz que ilumina el lugar es la de las velas que se encuentran a los lados de las bancas. Sobre las paredes, puedo ver columnas de madera que se elevan, pasando los vitrales rojos, amarillos y azules. Estas columnas se unen en el centro del techo y dan la impresión de estar dentro de un barco dado vuelta. Al frente, el borde del altar está recubierto con flores de Nochebuena rojas y los músicos del coro ya se encuentran sobre las gradas con sus túnicas blancas. Sobre ellos, por delante de los tubos del órgano, cuelga una inmensa corona de Navidad.

La iglesia está abarrotada, pero nos encaminamos hacia las bancas de la parte trasera y una señora mayor se acerca a nosotros por el pasillo. Nos entrega, a cada uno, una vela blanca sin encender y un círculo de cartón blanco del tamaño de mi palma, en cuyo centro hay un pequeño hueco. Veo a Caleb pasar la parte superior de su vela por allí y detenerse cuando llega más o menos a la mitad.

–Estas son para más tarde –me explica–. El cartón es para que las gotas de cera no caigan en tu mano.

Paso mi vela por el hueco y la dejo sobre mis piernas.

–¿Tu mamá y tu hermana vendrán?

Me señala el coro con su cabeza. Abby y su madre están en el centro de las gradas, sonriéndonos. La mujer se ve feliz de estar junto a su hija. Con Caleb las saludamos al mismo tiempo y Abby comienza a hacer lo mismo, pero su madre la reprende, ya que el director del coro está justo enfrente de ellas.

–Abby siempre tuvo facilidad para el canto –susurra Caleb–. Solamente ensayó con ellos dos veces, pero mamá dice que se adapta rápido.

El villancico para abrir la noche es *¡Oíd! Los ángeles mensajeros cantan*.

Luego de algunas otras canciones, el pastor da una charla para pensar sobre la historia de la Navidad y lo que significa esta noche para él. La belleza y bondad de sus palabras me llegan al corazón. Tomo a Caleb por el brazo y me mira con ternura.

El coro comienza a cantar *Nosotros, los tres Reyes* y Caleb se inclina hacia mí.

–Acompáñame afuera –me susurra tomando la vela de mis piernas, y lo sigo fuera de la iglesia. La puerta de cristal se cierra detrás de nosotros y sentimos el aire frío de la noche.

–¿Qué ocurre? –le pregunto confundida.

Se inclina hacia mí y me besa suavemente. Levanto las manos y las coloco sobre sus frías mejillas, lo que provoca que sus labios se sientan aún más cálidos. Me pregunto si cada beso con Caleb se sentirá de esta manera tan mágica y única.

–Está comenzando –me dice volviéndose hacia un lado.

Caminamos por un lado de la iglesia, cuyas paredes y campanario se elevan sobre nosotros. Las ventanas angostas de la parte superior se ven oscuras, pero estoy segura de que están decoradas con vidrios de distintos colores.

–¿Qué está comenzando? –le pregunto.

–Está oscuro allí porque la acomodadora apagó todas las velas –me contesta–. Pero, escucha.

Cierra los ojos y hago lo mismo. En un principio, el sonido es muy suave, pero puedo oírlo. No es solo el coro quien canta, sino toda la congregación.

Noche de paz… Noche de amor.

–En este momento, hay dos personas en el frente de la iglesia con velas encendidas. Solo dos. Todo el resto tiene las mismas que nosotros –me explica al entregarme mi vela. La sostengo de la parte de abajo y el círculo de cartón roza mis dedos por encima–. Las dos personas con el fuego se acercan al pasillo central; una se acerca a las personas de la izquierda y la otra a las de la derecha.

Viene anunciando al niño Jesús.

Caleb saca una caja de fósforos de su bolsillo delantero y toma uno. Lo raspa con la parte áspera y la vuelve a guardar. Enciende su vela con el fósforo y luego lo apaga.

–Las personas en las primeras dos bancas, sea quien sea que esté más cerca del pasillo, encienden sus velas apoyándolas contra las que están encendidas. Luego utilizan ese mismo fuego para encender la vela de quien se encuentra inmediatamente al lado.

Solo velan en la oscuridad.

Caleb acerca su vela a la mía y la inclino hacia la de él con la mecha tocando el fuego hasta que se encienda.

–Esto sigue así, vela por vela. Por cada una de las bancas. La luz pasa de una persona a otra… lentamente… creando este sentimiento de deseo porque esa luz llegue a ti.

Bajo la mirada hacia la pequeña llama que comienza a encenderse en mi vela.

Una estrella esparce su luz.

–Uno por uno, a medida que se pasa la luz, la habitación entera se ilumina con ese resplandor.

Brilla sobre el Rey.

–Mira hacia arriba –me dice con voz suave.

Dirijo la mirada hacia los ventanales de arriba. Ahora puedo ver un cálido destello de luz que viene desde adentro. El vitral se ilumina con unos tonos rojos, amarillos y azules. La canción continúa y me quedo sin aliento.

Noche de paz… Noche de amor.

La letra de la canción se repite una vez más y, luego de un rato, tanto dentro de la iglesia como aquí afuera, hay completo silencio.

Caleb se inclina hacia adelante y con un soplido suave, apaga su vela. Luego, apago la mía.

–Me alegra haber venido aquí afuera –le digo. Me toma por el brazo para acercarme hacia él y me besa suavemente, reteniendo sus labios contra los míos por varios segundos. Aún abrazados, muevo la cabeza hacia atrás–. Pero ¿por qué no querías que viera esto desde adentro?

–Desde hace varios años, nunca siento tanta tranquilidad como el momento en que encienden mi vela en Nochebuena. En ese único momento, todo está bien –se acerca todavía más a mí y apoya su barbilla sobre mi hombro para susurrarme algo al oído–. Pero este año, quería pasar ese momento solo contigo.

–Gracias –susurro–. Fue perfecto.

CAPÍTULO 23

L a misa de Nochebuena se termina y la puerta de la iglesia se abre. Son más de las doce de la noche y la gente que se retira, seguramente, está cansada, pero cada rostro que veo luce lleno de paz y felicidad. La mayoría camina en silencio, pero puedo oír algunos deseos de "Feliz Navidad" entre las familias.

Es Navidad.

Mi último día.

Veo que Jeremiah mantiene la puerta abierta para algunas personas y luego se encamina hacia nosotros.

—Los vi escabullirse —afirma—. Se perdieron la mejor parte.

—¿Nos perdimos la mejor parte? —le pregunto a Caleb mirándolo a los ojos.

—No creo que lo hayamos hecho —me responde.

–No, no lo hicimos –le digo a Jeremiah sonriendo.

Jeremiah estrecha la mano con Caleb y luego lo abraza.

–Feliz Navidad, amigo.

Caleb se queda en silencio; simplemente lo abraza y cierra los ojos.

Jeremiah le da una palmada en la espalda y luego me abraza a mí.

–Feliz Navidad, Sierra.

–Feliz Navidad, Jeremiah.

–Te veré por la mañana –se despide y vuelve a la iglesia.

–Deberíamos regresar –sugiere Caleb.

No hay palabras para describir lo mucho que significó esta noche para mí. En este momento, quiero decirle a Caleb que lo amo. Este sería el momento indicado, aquí mismo, porque es la primera vez que lo siento de verdad.

Pero no puedo. No es justo hacer que escuche esas palabras a tan poco tiempo de marcharme. Decirlo también provocaría que quede grabado en mi corazón y estaría pensando en eso de regreso a casa.

–Desearía poder detener el tiempo –le digo. Es todo lo que puedo dar ahora.

–Yo también –me toma de la mano–. ¿Qué es lo que sigue ahora? ¿Lo sabes?

Desearía que él me pudiera responder esa pregunta. Se siente tan poca cosa decir que nos mantendremos en contacto. Sé que así será, pero ¿qué más?

–No –le digo moviendo la cabeza de lado a lado.

Cuando estamos de regreso en el lote, me besa y luego da un paso hacia atrás. Es mejor que empiece a desprenderse poco a poco. No hay ningún milagro de Navidad que pueda hacer que me quede aquí o que nos otorgue más tiempo del que disponemos.

–Buenas noches, Sierra.

–Nos veremos mañana –le digo en lugar de responder lo mismo.

A medida que camina hacia su camioneta con la cabeza baja, veo que mira la foto de su llavero. Luego de abrir la puerta, voltea hacia mí una vez más.

–Buenas noches –me saluda.

–Te veré por la mañana.

Me despierto con una mezcla de emociones enfrentadas. Preparo un pequeño cuenco de avena con azúcar negra y, cuando termino de desayunar, me encamino a la casa de Heather. Cuando llego, la encuentro sentada sobre la escalera de la entrada, esperándome.

–Me abandonas de nuevo –me dice sin levantarse.

–Lo sé.

–Y esta vez, no sabremos cuándo volverás –agrega. Finalmente, se para y me abraza fuerte por un largo rato.

Caleb aparece en su camioneta, con Devon en el asiento del acompañante, y la estaciona en la entrada del garaje. Se bajan del vehículo, cada uno con un pequeño regalo en sus manos. Toda la tristeza que tenía Caleb anoche parece haber desaparecido.

—¡Feliz Navidad! —exclama.

—¡Feliz Navidad! —le respondemos nosotras.

Ambos se acercan para darnos besos en las mejillas y Heather nos invita a pasar a la cocina, donde nos esperan un pastel de café y chocolate caliente. Caleb rechaza una porción del pastel porque ya desayunó *omelette* y tostadas francesas con su mamá y Abby.

—Es una tradición —nos explica mientras coloca un bastón de caramelo en su chocolate caliente.

—¿Saltaste en tu cama elástica hoy? —le pregunto.

—Lo primero que hicimos con Abby fue una competencia de giros hacia atrás —nos dice llevando la mano a su estómago—. Lo cual no fue una buena idea luego del desayuno, pero fue divertido.

Heather y Devon se sientan en sus sillas mientras nos miran hablar. Podría ser una de nuestras últimas conversaciones y ellos parecen no tener prisa en interrumpirla.

—¿Le comentaste a tu mamá que ya la habías encontrado? —le pregunto.

—Me amenazó con regalarme solo tarjetas de Navidad el próximo año —me contesta con una sonrisa mientras bebe un sorbo de su chocolate caliente.

—Bueno, encontró el regalo perfecto este año –le digo. Me acerco a él y le doy un beso.

—Ya que lo mencionas –interviene Heather–, es hora de *nuestros* regalos.

Casi ni puedo mirar cuando Devon comienza a abrir su regalo. Finalmente, saca la bufanda roja y verde sin forma y, todavía, muy corta. Inclina su cabeza, moviendo el regalo de lado a lado. Luego, esboza la sonrisa más grande y genuina que jamás vi en su rostro.

—Amor, ¿tú hiciste esto?

Heather le devuelve la sonrisa y se encoje de hombros.

—¡Me encanta! –dice, mientras envuelve su cuello con la bufanda, que apenas llega a pasar su clavícula–. Nunca nadie me tejió una bufanda. No me imagino el tiempo que habrás dedicado para hacerla.

Cuando Heather me mira, veo que su rostro está radiante de la felicidad. Le hago un gesto con la cabeza y se sienta en las piernas de Devon para abrazarlo.

—He sido muy mala novia –dice–. Lo siento. Prometo ser mejor.

Devon se aleja un poco, confundido y toma la bufanda.

—Pero dije que me gusta.

Heather se sienta en su silla y le entrega un sobre con las entradas para el festival de comedia. Devon también está agradecido por ese regalo, pero no tanto como con la bufanda que continúa usando orgullosamente.

Heather me entrega un sobre a mí.

–No es para ahora –aclara–, pero espero que no veas la hora de usarlo.

Abro el papel envuelto en tres y me toma varios segundos descifrar que se trata de un boleto de tren para viajar a Oregon desde aquí. ¡Y en las vacaciones de primavera!

–¿Irás a visitarme?

Heather hace un pequeño baile mientras está sentada en su silla.

Me acerco a ella y la abrazo muy fuerte. Me gustaría poder ver la reacción de Caleb al saber que ella irá a visitarme, pero estoy segura de que sobreanalizaré cualquier expresión en su rostro. Por eso, le doy otro beso en la mejilla a Heather y la abrazo nuevamente.

Devon coloca un pequeño regalo con forma cilíndrica frente a Caleb y luego uno frente a Heather.

–Ya sé que tuvimos nuestro día perfecto, pero les conseguí lo mismo para ti y Caleb.

Caleb lo sujeta con sus manos para tantear su peso.

–En realidad, tiene más que ver contigo, Sierra –dice Devon, cómplice.

Caleb y Heather desenvuelven sus regalos al mismo tiempo: las velas aromáticas con la inscripción *Una Navidad muy especial.*

–Sí, esta me volverá loco –dice Caleb al inhalar profundo y mirarme.

Tomo un bastón de caramelo y lo coloco en mi taza para mezclar. En este momento, me siento abrumada.

La mañana pasa muy rápido, pero ahora es mi turno de entregar los regalos. Coloco una de las pequeñas cajas sobre la mesa y se la entrego a Heather.

–Las cosas buenas vienen en empaques pequeños –señala. Rasga el envoltorio de papel de periódico y abre la caja de terciopelo negro. Tiene en su mano un brazalete de plata que le compré en el centro, donde también hice que le grabaran las coordenadas geográficas de latitud y longitud: *45.5° N, 123.1° O.*

–Esas son las coordenadas de nuestra granja –le explico–. Ahora siempre podrás encontrar tu camino hacia mí.

–Siempre –susurra, con brillo en los ojos.

Le entrego a Caleb su regalo. Es muy meticuloso para abrir el envoltorio y se toma su tiempo para sacar cada trozo de cinta adhesiva a la vez. Heather me patea por debajo de la mesa, pero no puedo dejar de mirar a Caleb.

–Antes de que veas dentro –le comento–, no esperes encontrar algo que cueste demasiado dinero.

Me sonríe con su hoyuelo y toma la brillante caja roja.

–Pero implica mucho cuidado –agrego–, y muchas lágrimas, y muchos recuerdos que nunca olvidaré.

Baja la mirada hacia la caja, aún cubierta con la tapa. Cuando veo que su hoyuelo desaparece, me doy cuenta de que sabe qué es lo que hay dentro. Si es así, sabe lo mucho que significa para mí regalárselo. Con cuidado, levanta la tapa y aparece el trozo de madera con el árbol de Navidad pintado en el frente.

Levanto la mirada hacia Heather y veo que tiene sus manos presionadas contra su boca.

—No lo entiendo —dice Devon, mirándome confundido.

—Ahora no —lo detiene Heather, con un golpecito en el brazo.

Caleb está estupefacto con la vista sobre el regalo.

—Pensé que esto estaba en Oregon.

—Estaba —le contesto—. Pero necesita estar aquí.

El regalo que me enviaron junto al trozo de madera, las entradas para el baile al cual ni siquiera estoy segura de si asistiré, todavía se encuentra escondido en el tráiler detrás de nuestra foto con Santa.

Levanta el trozo de madera de la caja, sosteniéndolo, con delicadeza, por el anillo de corteza.

—Esto es irremplazable —dice.

—Sí —le contesto—, y ahora es tuyo.

Me entrega una caja verde brillante cerrada con un listón rojo y lo desato para poder abrir la tapa. Dentro, encuentro un círculo de madera sobre una pequeña capa de algodón, del mismo tamaño que el que le acabo de regalar. También tiene un árbol de Navidad dibujado en el frente con un ángel posado sobre la punta. Lo miro, confundida.

—Regresé a buscar tu árbol en el *Cardinals Peak* —me explica—. El que estaba cortado a un lado de la carretera. Parte de él necesitaba regresar a casa contigo.

Heather y yo ahogamos una exclamación, y Devon tamborilea sus dedos contra la mesa.

–Hace algunas semanas, te había comprado algo más –agrega Caleb mientras saca una bolsa de tela dorada, casi transparente–. ¿Ves? Esta bolsa es diáfana.

–Es muy diáfana –le digo riendo. A través de la delicada tela, puedo entrever algo dorado. Abro la bolsa y saco un colgante que tiene un pequeño dije de un pato volando.

–Algo más que esperamos que regrese al sur todos los inviernos –me dice con voz suave.

Lo miro y siento como si Heather o Devon no estuvieran en esta habitación con nosotros.

–Amor, ven, ayúdame a encontrar algo de música navideña –le pide Heather a Devon para dejarnos solos.

Sin dejar de mirarnos, me deslizo entre los brazos de Caleb y lo beso. Luego, apoyo la cabeza en su hombro, deseando nunca tener que abandonar este lugar.

–Gracias por el regalo –murmura.

–Gracias a ti.

En la habitación de al lado, una canción lenta instrumental de Navidad comienza a sonar. Con Caleb permanecemos quietos hasta que comienza la tercera canción.

–¿Puedo alcanzarte de regreso? –me pregunta.

Me reincorporo y aparto el cabello de mi cuello.

–¿Me pondrías el colgante primero?

Caleb coloca el dije sobre mi clavícula y lo asegura en la parte trasera de mi cuello. Trato de recordar cada roce de sus dedos sobre mi piel. Luego, vamos por nuestros abrigos y saludamos a Heather y Devon.

El corto viaje de regreso se siente solitario, aunque Caleb esté justo al lado mío. Se siente como si estuviéramos en el proceso de regresar a nuestros propios mundos. Toco el colgante varias veces durante el recorrido y noto que me mira cada vez que lo hago.

Me bajo de su camioneta y, cuando mis pies tocan el suelo, siento que me hundo en la tierra.

–No quiero que esto sea todo –digo.

–¿Tiene que serlo? –pregunta.

–Tú tienes la cena con tu familia y nosotros estaremos trabajando toda la noche para cerrar el lugar –le contesto–. Con mamá partimos por la mañana.

–Hazme un favor –me pide mientras espero por un largo rato que vuelva a hablar–. Cree en nosotros.

Asiento con la cabeza y me muerdo el labio. Doy un paso hacia atrás para cerrar la puerta y lo saludo con la mano desde lejos. A medida que se marcha, digo una oración.

Por favor, no dejes que esta sea la última vez que vea a Caleb.

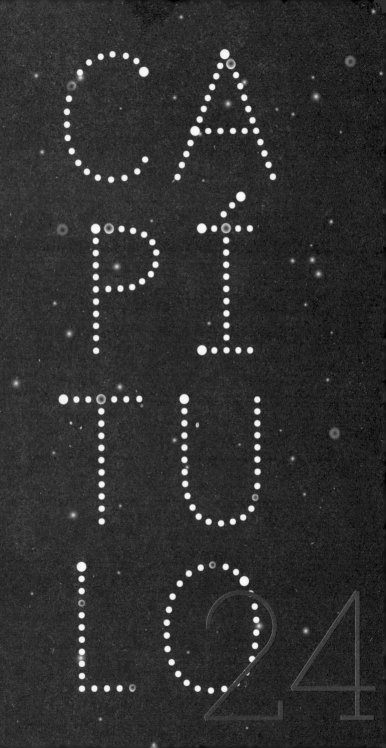

CAPÍTULO 24

Luis, Jeremiah y algunos muchachos trabajan para desarmar la tienda de la Administración. Otros retiran las luces con forma de copos de nieve y juntan las sogas. Mientras tanto, yo ayudo a aquellos que vienen a llevarse los árboles que sobraron. Por unos pocos dólares, pueden llevarlos para dejarlos secar y usarlos en una fogata. Algunos empleados del Departamento de Parques y Recreación de la ciudad vienen para llevar algunos árboles que luego sumergirán en los lagos más cercanos para crear arrecifes bajo el agua.

Durante las horas de trabajo, en la mañana o la tarde, acaricio constantemente mi dije, casi sin darme cuenta. Más tarde, mis padres y yo cenamos comida china dentro de la caravana, y algunos empleados regresan, luego de cenar con sus familias. Al igual que todos los años, encendemos una fogata en el medio del lote vacío. Nos sentamos en bancas de madera y sillas desplegables alrededor del fuego para asar malvaviscos. Luis pasa una caja de galletas Graham y chocolate para hacer *s'mores*[3]. Heather y Devon aparecen y ya están discutiendo qué harán para Año Nuevo. Él se quiere quedar en la casa mirando los partidos de fútbol, y ella prefiere comenzar el año con una caminata.

–Luces muy triste para ser Navidad, Sierra –me dice Jeremiah al sentarse al lado mío.

–Siempre odié tener que irme luego de la mañana de Navidad –le explico–. Este año es especialmente duro.

–¿Por Caleb? –me pregunta.

–Por Caleb, por esta ciudad. Por todo –paseo la mirada por las personas sentadas alrededor del fuego–. Es como si me hubiera enamorado del tiempo que pasé aquí de una manera que nunca antes me ocurrió.

–¿Cómo te sentirías si te doy un consejo? –me pregunta.

–Depende del consejo –le contesto.

–Siendo alguien que pasó mucho tiempo lejos de Caleb, y que tendrá que pelear por recuperarlo, solo puedo decirte que hagas todo lo posible para aferrarte a él. Le haces bien –reconoce–, y él parece hacerte bien a ti.

Asiento con la cabeza mientras me aclaro la garganta para quitarme el nudo que me impide hablar.

–Me hace bien –respondo–. Estoy segura de ello. Pero, lógicamente, cómo puedo…

---

3. N. del T.: Un *s'more* es un postre tradicional de Estados Unidos y Canadá, que consiste en un malvavisco tostado y una capa de chocolate entre dos trozos de galleta Graham. Por lo general, se come durante fogatas nocturnas.

—Olvídate de la lógica —me interrumpe—. La lógica no sabe lo que quieres.

—Lo sé, pero no es solo lo que yo quiero —le explico mientras miro el fuego—. Es mucho más que eso.

—Entonces, tienes suerte, porque esa persona por quien nosotros dos nos preocupamos demasiado quiere lo mismo que tú.

Me da una palmada en el hombro. Cuando lo miro, señala con un dedo hacia la oscura silueta del *Cardinals Peak*. Cerca de la cima, veo centenares de luces brillantes de todos los colores.

—¿Esos son mis árboles? —pregunto, llevándome una mano al corazón.

—Se acaban de encender —me contesta.

Siento que mi teléfono vibra en mi bolsillo. Lo miro a Jeremiah y se encoje de hombros. Tomo el móvil y veo un mensaje de texto de Caleb.

Tu familia de árboles y yo te extrañamos.

—¡Está allí arriba! Tengo que ir a verlo —digo incorporándome de un salto, muy entusiasmada.

Mamá y papá están sentados frente a mí en la fogata, abrigándose con una misma bufanda larga.

—¿Está bien si...? Necesito... —le digo al señalarle la cima del *Cardinals Peak*—. Él...

—Te tienes que levantar temprano mañana. No regreses

muy tarde –me dice mamá, intercambiando una sonrisa con papá.

–Toma buenas decisiones –agrega papá y, con mamá, reímos.

Miro a Heather y Devon, quienes están acurrucados en un abrazo. Antes de marcharme, los estrecho a ambos.

–Manténganse calentitos –me susurra Heather asegurándose de que mis padres no puedan oír.

–¿Puedes llevarme hasta allí? –le pregunto a Jeremiah.

–Será un placer –me responde.

–Gracias –le digo–, pero, antes, necesito pasar a buscar algo.

Siento que el viaje del lote a la base del *Cardinals Peak* no termina más y es mucho más largo que otras veces.

Al estacionar la camioneta a un lado de la carretera sobre la tierra, Jeremiah me dice:

–Ahora estás por tu cuenta, chica del lote. No me entrometeré en esto –ambos levantamos la vista hacia la colina para ver las luces distantes de mis árboles. Se acerca para abrir la guantera y me entrega una pequeña linterna.

–Gracias –me inclino hacia él para darle un abrazo.

Enciendo la linterna de inmediato y me bajo del automóvil. Al cerrar la puerta, se marcha de regreso a la ciudad. Cuando veo que las luces de su camioneta ya no están, me doy cuenta de que estoy completamente sola, con esta pequeña linterna y la acechante colina. En mayor medida, la montaña está oscura, excepto por el pequeño claro iluminado por las luces de colores, con una persona muy especial que me espera allí arriba.

Unos metros antes de la última vuelta del camino, me siento como si hubiera subido volando hasta aquí arriba. La camioneta de Caleb está estacionada justo delante de mí y con la ventana del pasajero abierta. Desde allí, sale un largo cable que se adentra en los arbustos hacia donde se encuentra Caleb, de cara a la ciudad. Las luces de Navidad sobre mis árboles son lo suficientemente brillantes para que pueda caminar hasta él con la linterna apagada. Tiene la vista puesta en su teléfono, probablemente, esperando recibir mi respuesta.

—Eres asombroso —le digo. Voltea con su brillante sonrisa—. Creí que estabas con tu familia.

—Estaba, pero aparentemente, me distraje con otra cosa —me comenta—. Abby me alentó a que dejara de estar deprimido y que viniera a verte. Pensé que esto sería una mejor idea para que tú vinieras a verme a mí.

—Definitivamente, llamaste mi atención.

Da un paso hacia mí y percibo cómo las luces juegan en su rostro. Nos tomamos de las manos y nos besamos. Esta vez, siento cómo todas las dudas que tenía ya no están. Quiero esto. Quiero estar con él.

–También tengo algo para ti –le susurro al oído. Me llevo la mano a mi bolsillo trasero y tomo un sobre.

Cuando él lo toma, enciendo la linterna e ilumino sus manos. Sus dedos tiemblan, ya sea por el frío o por la impaciencia. Me hace feliz saber que no soy la única que está nerviosa en esta colina. Del interior, toma las dos entradas para el baile de invierno con la pareja que baila dentro del globo de nieve. Me mira y estoy segura de que ambos estamos sonriendo de la misma manera.

–Caleb, ¿serías mi cita para el baile de invierno? –le pregunto–. No iré con nadie más.

–Sería tu cita para cualquier cosa –me contesta.

Nos aferramos el uno al otro en un abrazo apretado.

–¿De veras irás? –le pregunto sorprendida.

–¿Por qué otra razón ahorraría las propinas del trabajo? –me dice, separando la cabeza para mirarme sonriendo.

Lo miro a los ojos y me preparo para decirlo.

–Sabes que te amo –surge con total naturalidad.

Se inclina hacia mí y se acerca a mi oído.

–Sabes que yo también te amo.

Me besa en el cuello y luego se dirige hacia su camioneta. Se inclina sobre la ventanilla abierta y gira la llave para encender el motor. El estéreo se enciende y comienza a sonar *Es el mejor momento del año* en la fría noche sobre nosotros. Trato de reprimir una risa, pero Caleb lo nota y sonríe.

–Vamos –me dice–, dime que soy cursi.

–¿Lo olvidas? –le pregunto–. Mi familia sobrevive gracias a estas cosas.

En la ciudad abajo, puedo ver la fogata en donde mamá, papá y algunos de mis mejores amigos se mantienen cálidos. Tal vez, estén mirando hacia aquí arriba. Si así fuere, espero que estén sonriendo como yo en este momento.

–¿Quieres bailar conmigo? –me pregunta Caleb.

–Es mejor que comencemos a practicar –le digo tendiéndole mi mano.

La toma y me hace dar una vuelta. Luego, bailamos abrazados. Las luces de Navidad brillan sobre mis árboles, que se mueven a la par con el suave soplido de la brisa invernal.

Fin

AGRADECIMIENTOS

La lista de Santa Claus:

A Ben Schrank, jefe editorial, y Laura Rennert, agente literario,

por haberme acompañado desde mi primer libro y por haber sido mis terapeutas personales para ayudarme a lidiar con mi inseguridad de escritor.

A Jessica Almon, editora,

Cuando tuve dudas, tú confiaste en mí;

Cuando terminé, tú me animaste a más

"¡Me recuerda a una canción de Taylor Swift!".

A mamá, papá y Nate

(y mis primos, tíos, abuelos, vecinos, amigos…)

por una infancia de magia navideña.

A Luke Gies, Amy Kearley, Tom Morris, Aaron Porter, Matt Warren, Mary Weber, DonnaJo Woollen,

por ser mis ángeles de la guarda.

A Hopper Bros.—Woodburn, OR

Heritage Plantations —Forest Grove, OR

Halloway's Christmas Trees —Nipomo, CA

Thorntons' Treeland —Vancouver, WA

por las visitas a sus granjas de árboles de Navidad y por las respuestas a mis serias, personales y tontas (¡pero legítimas!) preguntas.

ACERCA DEL AUTOR

JAY ASHER

La primera novela de Jay Asher, *Por trece razones*, ha aparecido regularmente en la lista de los *best sellers* de *The New York Times* durante los últimos 9 años. Ha vendido más de 2,5 millones de ejemplares solo en los EE.UU. y, actualmente, Netflix está produciendo una miniserie basada en ella. Escribió su segunda novela YA, *The Future of Us*, en coautoría con Carolyn Mackler. Sus obras han sido traducidas a más de 30 idiomas. *Noche de luz* es su tercera novela.

Si quieres saber más acerca de él, visita www.jayasher.blogspot.com.

¿Y si Ana Bolena
y el rey Enrique se conocieran
en pleno siglo XXI?

¿Y si el cazador se
enamora de su presa...?

ANNE & HENRY - *Dawn Ius*

FIRELIGHT - *Sophie Jordan*

Dos jóvenes que
desafían las reglas

Personajes con
poderes especiales

SKY - *Joss Stirling*

NIGHT OWLS - *Jenn Bennett*